Culto doméstico

Edição revisada e atualizada

David Merkh

Revisão
Priscila Porcher

Capa
Maquinaria Studio

Diagramação
Sonia Peticov

2ª edição - junho de 2015
Reimpressão - Novembro de 2019

Gerente editorial
Juan Carlos Martinez

Coordenador de produção
Mauro W. Terrengui

Impressão e acabamento
Imprensa da Fé

Editora Hagnos
Av. Jacinto Júlio, 27
04815-160 - São Paulo - SP - Tel (11)5668-5668
hagnos@hagnos.com.br - www.hagnos.com.br

Dados Internacionais de Catalogação na Publicação (CIP)
(Câmara Brasileira do Livro, SP, Brasil)

Merkh, David J.
101 ideias criativas para culto doméstico / David & Carol Sue Merkh -- São Paulo, -- SP: Hagnos 2003, 2015 - (101 ideias criativas).

ISBN 85-89320-16-2

1. Família - Vida religiosa I. Merkh, Carol Sue. II. Título. III. Série

---

03-3306 CDD-249

Índices para catálogo sistemático:
1. Culto doméstico: Cristianismo 249
2. Vida familiar: Culto cristão 249

Editora associada à:

Para nossos filhos David Jr.,
Michelle, Juliana, Daniel,
Stephen, Keila, herança do
SENHOR, galardões para sempre.

Apresentação

A reação foi forte. Conversávamos sobre culto doméstico e um dos pais exclamou em tom de amargura e com bastante convicção: "Nunca, nunca teremos culto doméstico em nossa família!" Quando criança, seu pai insistira em manter todos os dias uma cerimônia prolongada — vários hinos, leitura extensa, orações solenes, muito tédio e pouca aplicação. Identifiquei-me com ele. A minha reação talvez não fosse diferente.

Às vezes, a reação que encontro é outra — frustração. Muitos pais sabem que lhes cabe a responsabilidade de instruírem seus filhos na disciplina e admoestação do Senhor. Ouviram pregações sobre o valor do culto doméstico, mas desanimaram diante de tentativas malsucedidas. Identifico-me também com estes. É frustrante ouvir falar sobre um ideal — um culto doméstico curto, variado, animado e edificante para os filhos — quando não se sabe como proceder.

Há ainda uma terceira reação com a qual me identifico muito. É o brilho nos olhos, a alegria na voz e o entusiasmo de alguém que colocou em prática algumas ideias criativas e viu seus filhos gostarem e tirarem bom proveito do culto doméstico. Penso em casais que conheço. Penso em alunos e ex-alunos com quem tive contato no Seminário Bíblico Palavra da Vida. Penso especialmente em um pai cujos filhos aguardavam o culto doméstico com expectativa, e que com frequência queriam mais. ele usava muita variedade. E é ele quem compartilha aqui 101 sugestões para o culto doméstico. Espero que você as aproveite para o bem de seus filhos.

DAVID N. COX
Fundador
Seminário Bíblico Palavra da Vida

Sumário

Parte 2: Adoração

Parte 3: Instrução

Prefácio

Assim como o nosso primeiro volume de *101 ideias criativas*, este livro também nasceu de um interesse egoísta. Como pais, sentimos "na pele" a urgência e a seriedade da tarefa de treinar nossos filhos nos caminhos do Senhor. Também percebemos a importância de tornar este treinamento agradável.

O dr. Howard Hendricks, nosso professor no Seminário, costumava dizer que o pior pecado que um professor de Bíblia pode cometer é cansar seus alunos com a Palavra de Deus. Para evitar este erro em nosso próprio lar, saímos à procura de ideias que pudéssemos aplicar no chamado "culto doméstico". Este livro é o resultado de alguns anos de pesquisa e de prática. Temos colhido bom fruto no treinamento espiritual de nossos filhos, que hoje estão treinando seus filhos — nossos netos. Queremos oferecer nosso arquivo de ideias à igreja brasileira, na esperança de que seja útil também em outros lares.

Não pretendemos apresentar uma lista exaustiva de ideias e certamente não queremos sugerir que "ideias criativas" tomem o lugar do "feijão com arroz" da leitura bíblica, oração, adoração e serviço cristão no contexto do lar. Mas embora as ideias criativas não substituam um regime normal de nutrientes básicos, elas podem suplementá-lo, despertando em sua família um apetite maior pela Palavra e pela pessoa de Deus.

O autor de Eclesiastes afirmou que *não há nada novo debaixo do sol* (Ec 1.9). Um dos nossos professores costumava acrescentar que "criatividade é a arte de esconder as suas fontes". Duvido que alguma das ideias aqui reunidas seja inteiramente nova. Mas também duvido que alguma delas já tenha sido apresentada exatamente como a trazemos até você neste livro. Pesquisamos muitas fontes, recorrendo inclusive a pessoas que já alcançaram sucesso no treinamento espiritual dos seus filhos. Avaliamos vários livros e adaptamos ideias servindo-nos da nossa própria experiência como pais, dentro das necessidades do contexto brasileiro.

Que o produto da "caça" a ideias criativas para o treinamento dos nossos filhos sirva de forte estímulo aos pais brasileiros na tarefa desafiadora de treinarem seus filhos *no caminho em que devem andar* (Pv 22.6).

DAVID E CAROL SUE MERKH

Introdução

Faltavam apenas dez minutos para o final do jogo quando o técnico do nosso time descobriu que alguns dos seus jogadores mais novos precisavam ainda de muito treino. Eu havia acabado de entrar em campo e saltei o mais alto que pude numa disputa de bola com o adversário. Inexperiente, ao invés de cair em pé, retornei ao planeta terra pela extremidade oposta. Recordo-me apenas vagamente do que aconteceu nos momentos seguintes. Quando acordei, eu não me lembrava do local onde estávamos e, pior ainda, mais tarde descobri com embaraço que minha alegria pela nossa "vitória" não era nada apropriada — havíamos perdido o jogo por 4 a 0. Eu me tornara vítima da amnésia.

Qualquer pessoa que tenha experimentado um período de amnésia conhece a sensação desconcertante de acordar de repente e perceber que uma parte de sua vida foi apagada da memória. Que tragédia! Contudo, uma tragédia ainda maior persegue hoje inúmeras famílias cristãs. Acreditando-se vencedoras, descobrem que estão prestes a perder a batalha pela preservação da lembrança mais preciosa do nosso legado espiritual. A amnésia espiritual apaga das nossas mentes a lembrança de Deus.

Identificamos um padrão que parece se repetir com certa frequência entre as famílias crentes:

A primeira geração conheceu a Deus
A segunda geração conheceu fatos acerca de Deus
A terceira geração não conheceu a Deus

O desvio da fé por parte dos filhos não começou com a chegada da televisão, da música *rock* ou das drogas. Há quatro mil anos, Moisés, por inspiração divina, previu o problema e deu o seguinte aviso ao povo de Israel: *Quando o Senhor teu Deus te estabelecer na terra que prometeu te dar, em juramento feito a teus pais,* [...] *e quando comeres e te fartares; cuidado para não te esqueceres do Senhor, que te tirou da terra do Egito, da casa da escravidão* (Dt 6.10-12).

O perigo de então é o perigo de agora. As pessoas naturalmente se esquecem do Senhor. Não raro, o vírus da prosperidade amortece os sentidos e provoca a amnésia espiritual. A maior ameaça desta enfermidade é a sutileza com que contamina. Quem iria imaginar que os filhos e netos da comunidade que passou pelo deserto abandonariam o Senhor que os havia tirado do Egito? Que outra geração teria experimentado de forma tão viva a presença e o poder de Deus? Tente ver a si mesmo como testemunha ocular...

- Das dez pragas que caíram sobre o Egito e culminaram com a morte dos primogênitos,
- Da abertura do mar vermelho e da destruição do poderoso exército egípcio,
- Da presença da glória de Deus, orientando-os sob forma de coluna de fogo à noite e nuvem durante o dia.

Apesar de ter presenciado estes feitos admiráveis, e ainda outros semelhantes, o povo de Israel esqueceu-se do seu Deus no decorrer de uma geração. Juízes 2 registra que aquela geração que havia visto todos os feitos grandiosos de Deus em favor de Israel serviu a ele, mas *surgiu outra geração que não conhecia o Senhor, nem o que ele havia feito por Israel* (Jz 2.10).

Será que o esquecimento vem da noite para o dia? Dificilmente. A prosperidade e a negligência dos pais em transmitirem à geração seguinte as palavras e os feitos de Deus criam um contexto favorável para a amnésia espiritual. Como pais, deveríamos ficar profundamente sensibilizados e preocupados diante do fracasso de Israel. Se os filhos daqueles que tiveram tantas experiências marcantes com Deus esqueceram-se dele, como escaparão os nossos filhos? Como alcançaremos vitória sobre a amnésia espiritual? Como poderemos evitar a contaminação?

O tratamento preventivo consiste em doses substanciais da Palavra de Deus recebidas dentro do lar. A receita pode ser encontrada em Deuteronômio 6.4-9 e prescreve bem mais do que "um versículo ao dia para espantar o esquecimento". Deus espera que a sua Palavra e a lembrança dos seus feitos dominem de tal forma a vida dos crentes que seus pensamentos e palavras naturalmente se voltem para ele durante o dia todo. O cristianismo do "um ao dia" — uma breve oração antes das refeições, uma leitura bíblica diária ou até mesmo a frequência regular ao culto do domingo de manhã — não é em si suficiente para deter a imensa onda de pressão que incita os jovens a abandonarem a fé. Deus pede mais do que um interesse ritualista em sua Palavra. sua receita prescreve um interesse vivo na pessoa dele e requer espontaneidade e criatividade, além de exercício na piedade. Como alguém já disse, o texto de Deuteronômio 6.4-9 exige "qualquer coisa, todas as coisas, em qualquer lugar, em todos os lugares" na batalha para vencer a amnésia espiritual.

O versículo 4 é a declaração central da fé israelita e estabelece o alicerce para o restante do texto: *Ouve, ó Israel: o Senhor nosso Deus é o único Senhor*. Se realmente existe um único Deus, Senhor do Universo, então toda a vida converge necessariamente para ele. Esta verdade teológica tão facilmente declarada não é aplicada com igual facilidade. Contudo, o próprio texto traz indicações de como proceder para afirmar a soberania de Deus em nossas vidas e na dos nossos filhos:

O Senhor é o único Deus (v. 4)

- (qual a minha reação?) Amar a ele com todo o ser (v. 5)
- (como?) Guardando as suas palavras no coração (v. 6)
- (como?) Ensinando-as aos filhos (v. 7a)
- (como?)
  1. Falando delas o dia inteiro (v. 7b)
  2. Atando-as como lembrete (v. 8)
  3. Transcrevendo-as nos umbrais e nas portas (v. 9)

Como aplicar estas orientações em nossos lares?

- A instrução familiar deve ocorrer com o objetivo de desenvolver em nossos filhos o amor a Deus (v. 5), prevalecendo sempre a qualidade, e não a quantidade. O tédio é um hóspede indesejado no culto doméstico.
- O amor a Deus cresce pelo conhecimento da sua Palavra (v. 6). Já que conhecer os mandamentos de Deus é um pré-requisito para obedecer a eles, a instrução familiar deve oferecer tanto conteúdo como aplicação.
- O conhecimento da Palavra de Deus acontece quando os pais a ensinam a seus filhos com diligência (v. 7). O método divino para o treinamento de homens e mulheres piedosos começa no "seminário do lar". A escola dominical, os clubes bíblicos, as escolas evangélicas, os acampamentos e ainda outros programas podem suplementar o

treinamento doméstico, mas nunca substituí-lo. Deus dá primeiramente aos pais a responsabilidade de passarem adiante o legado da fé cristã.

A família precisa estar tão envolvida com Deus que os pensamentos e conversas se voltem naturalmente para ele durante o dia inteiro. O versículo 7 esboça duas ocasiões especialmente propícias ao treinamento espiritual:

- **A qualquer hora.** A instrução não deve ficar limitada a um devocional após o café da manhã ou uma história antes de dormir. Até mesmo os momentos mais rotineiros da vida — "quando você se assenta em casa e quando anda pelo caminho" — oferecem ocasiões para reflexão teológica espontânea e criativa. Por exemplo, as formigas que carregam suas migalhas podem estimular uma discussão sobre a diligência (Pv 6.6-8). A descoberta de um cãozinho perdido pode ser oportunidade para uma conversa sobre a alegria que Deus sente pela salvação de pecadores perdidos (Lc 15).
- **Nas horas mais favoráveis ao ensino.** Os teóricos do aprendizado confirmam aquilo que estudantes vêm percebendo há anos: os últimos pensamentos da noite costumam ser os primeiros da manhã, e os primeiros pensamentos da manhã ecoam na mente durante o restante do dia. Deus pede para si estes momentos do dia especialmente apropriados para o treinamento formal e informal. Os pais que querem combater a amnésia espiritual devem iniciar e terminar cada dia falando do SENHOR, além de fazerem todo esforço para preencherem o dia com reflexão espontânea sobre a sua Palavra.

A família precisa se cercar de recordações constantes da Palavra de Deus (v. 8,9). Os fariseus consideraram estas ordens de modo tão firme e literal que seus filactérios (pequenas caixas que continham versículos bíblicos) de fato se tornaram símbolos, mas de hipocrisia, e não de piedade. É claro que o fracasso dos fariseus não significa que devemos rejeitar a aplicação prática destes versículos. Pelo contrário, pais crentes deveriam estar preocupados em verificar, por exemplo, o que ocupa a parede dos quartos dos seus filhos adolescentes ou o tipo de revistas que há em casa — bons indicadores da temperatura espiritual da família. Os locais mencionados nos versículos 8 e 9 adquirem significado à luz de sua natureza simbólica. *Também as amarrarás como sinal na mão* sugere que o homem se lembre do SENHOR em tudo o que faz, e *como faixa na testa* sugere que tudo aquilo que for visto promova pensamentos piedosos. E ainda, *as escreverás nos batentes da tua casa e nas tuas portas* lembra-nos da importância de que haja preocupação com o SENHOR dentro e fora do lar.

Não há limites para o número de aplicações criativas para Deuteronômio 6.4-8: quadros de parede, música e literatura evangélica, e mais... 101 ideias criativas que ajudam a vacinar o seu lar contra a amnésia espiritual.

O valor do culto doméstico

Roberto, filho de um advogado famoso por seus livros na área de direito, compareceu ao tribunal acusado por falsificação de cheques. O juiz, um velho amigo de seu pai, dirigiu-se a ele dizendo com rispidez: "Rapaz, você se lembra de seu pai? Você o tem desonrado."

"Lembro-me perfeitamente", respondeu o jovem com bastante calma. E prosseguiu: "Quando eu o procurava para lhe pedir conselhos ou companhia, ele sempre respondia: 'Vá embora, menino, eu estou ocupado'. Assim, meu pai terminou o livro, e aqui estou eu".

> *Instrui a criança no caminho em que deve andar, e mesmo quando envelhecer não se desviará dele* (Pv 22.6).

O valor do culto doméstico na vida da família cristã não pode ser superestimado. O tempo gasto em instrução, bate-papo e louvor renderá juros para o resto da vida dos filhos e dos pais.

Embora na introdução já tenhamos destacado a importância da instrução espiritual, alistamos aqui de forma mais completa alguns dentre os muitos benefícios que o culto doméstico traz à família cristã.

- **Transmite a fé cristã de geração em geração** (Sl 78.6b,7). O culto doméstico serve como plataforma para que a criança aceite a Jesus como seu Salvador pessoal. Esta verdade é ilustrada no Novo Testamento pela vida de Timóteo. A fé de sua avó Loide foi transmitida à filha Eunice, e esta, por sua vez, a passou a seu filho (2Tm 1.5), que ouvia as Escrituras desde a sua infância (2Tm 3.15). O jovem Timóteo já estava "pré-evangelizado" quando se encontrou com o apóstolo Paulo. Como pais, temos hoje o privilégio de apresentar aos nossos filhos a pessoa de Cristo e levá-los à conversão no contexto do lar.
- **Fundamenta a família nos valores bíblicos** (Sl 78.6b; Pv 22.6). A sociedade atual bombardeia-nos com valores antibíblicos. O pai cristão responde com a sua artilharia "antiaérea", combatendo a filosofia secular pelo ensino de princípios bíblicos. Os filhos precisam ouvir da boca de seus pais o que a Bíblia diz sobre namoro, sexo, álcool, amizade, integridade, diligência, dinheiro, pornografia etc. Através do culto doméstico, a família pode avaliar a realidade ao seu redor e encontrar as respostas bíblicas.
- **Une a família.** Diz o velho ditado: "Família que ora unida, permanece unida". Talvez ele tenha se tornado um chavão, mas ainda é verdadeiro. O altar familiar providencia um ponto de encontro que gera segurança e unidade familiar em meio ao corre-corre da vida moderna. O culto doméstico é a cola que gruda os membros da família um ao outro.
- **Estabelece canais de comunicação.** Ao mesmo tempo que o culto doméstico une a família, também fornece

momentos oportunos para que cada um compartilhe suas lutas, dificuldades e vitórias. O culto doméstico é uma ocasião em que os filhos podem abrir as janelas de suas vidas e expor ideias e dúvidas. Os pais podem ser transparentes com respeito às suas próprias falhas e pedir perdão quando for necessário.

Uma das melhores maneiras de abrir diálogo é quando os pais compartilham seus erros da juventude e as respectivas consequências. A propósito, nossos filhos não cansavam de pedir para ouvir mais uma vez a história de quando seu pai foi convencido pelos amiguinhos a roubar milho na fazenda ao lado e colheu consequências doloridas. Mas não se esqueça: para estabelecer canais de comunicação no culto doméstico, é preciso cultivar um ambiente seguro, livre de críticas, ameaças e discursos prolongados por parte dos pais.

- **Promove disciplina na vida cristã.** O culto doméstico equilibrado estimula hábitos indispensáveis para a vida cristã, como oração, adoração, estudo bíblico e evangelização. Não somente mostra o valor destas práticas, mas também ensina de forma natural e espontânea como proceder. O pai esperto reconhece no culto doméstico uma oportunidade para discipular seu filho.
- **Promove a vida cristã como estilo de vida.** O "altar familiar" tem a grande vantagem de lembrar à família que a vida cristã é uma vida, e não uma atividade reservada para domingo de manhã (ou à noite). Um velho pregador costumava contar a história de uma universitária japonesa que foi convidada para passar um final de semana em casa de uma colega. A família proporcionou de tudo para que a moça estrangeira se divertisse. No domingo, foram juntos à igreja e depois saíram para comer pizza. Ao despedir-se, a jovem

japonesa agradeceu à família com polidez e acrescentou um comentário: "Há somente uma coisa que eu não entendo". "O que é?", perguntou-lhe a anfitriã. "É sobre o seu Deus", respondeu a moça. E acrescentou: "No meu país, cada casa tem uma prateleira para os deuses. Nós os adoramos em nossos lares. Vocês não adoram o seu Deus no lar?"[1]

- **Grava para sempre a Palavra de Deus nas mentes e corações** (Sl 119.9, 11; Ef 6.4). Pergunte a um adulto que cresceu num lar evangélico quando foi que aprendeu os versículos que consegue citar de cor, e provavelmente você ouvirá: "Quando criança". O culto doméstico representa um investimento em memorização de versículos, aprendizagem de cânticos e de histórias bíblicas. Aquilo que uma criança retém bem cedo na vida está gravado para sempre.
- **Desperta para a "missão familiar".** A família cristã não vive só para si. Ela olha ao seu redor, para *Jerusalém, Judeia, Samaria, e até os confins da terra* (At 1.8). O culto doméstico pode abrir a visão para a necessidade de levar Cristo ao mundo — a começar por aqueles que moram na porta ao lado! Através de projetos criativos de evangelização, ação social, correspondência com missionários, e ainda outros, a família desenvolve um sentido de missão familiar.
- **Contagia outros** (Sl 78.6b,7). Será difícil esconder os resultados de um culto doméstico criativo, consistente e bíblico. Logo os amigos irão perceber uma diferença na sua família e querer saber a razão. O seu sucesso pode gerar uma "reação dominó" entre as famílias da igreja. Mas o mais importante é que seus filhos vão desenvolver um amor profundo pela instrução bíblica no lar e vão transmiti-lo à geração seguinte. Terá início em sua família um reavivamento espiritual que durará por gerações e gerações.

O que temos ouvido e aprendido,
e nossos pais nos têm contado.
Não os encobriremos aos seus filhos,
contaremos às gerações vindouras
sobre os louvores do Senhor,
seu poder e as maravilhas que tem feito.
[...] *para que a futura geração os conhecesse,*
para que os filhos que nasceriam se levantassem
e os contassem a seus filhos,
a fim de que pusessem sua confiança em Deus
e não se esquecessem das suas obras,
mas guardassem seus mandamentos.

Salmo 78.3,4,6,7

Os dez mandamentos do culto doméstico

1. Seja perseverante

Para ser bem-sucedido, o culto doméstico deve constituir prioridade na vida familiar. Sugerimos que o hábito seja estabelecido pela repetição, tendo início quando as crianças ainda forem novinhas. Obviamente isto depende dos pais, da sua disciplina, da convicção pessoal quanto ao valor deste tempo familiar, sob a orientação e capacitação do Espírito Santo. Quando o culto doméstico se torna um hábito, as próprias crianças não permitem que os pais esqueçam o que para elas já é parte indispensável da rotina diária.

2. Seja bíblico

O culto doméstico, embora variado, atraente e divertido, é sempre um tempo alicerçado em verdades bíblicas. Com os pré-escolares, sugerimos que os pais tenham em mãos a Bíblia enquanto estiverem lendo um livro de histórias bíblicas para crianças, promovendo assim uma associação entre a história e a Bíblia. Mais tarde, deverão mostrar a seus filhos onde encontrar na Bíblia os princípios e as histórias que ouviram. Assim que as crianças alcançarem idade apropriada, será hora de utilizar a própria Bíblia no tempo devocional e não somente literatura infantil.

3. Seja equilibrado

Ninguém sobrevive alimentando-se exclusivamente de arroz. Para obter boa saúde, é necessária uma dieta equilibrada que inclua os quatro grupos básicos de nutrientes. A dieta espiritual também deve ser equilibrada. Uma "receita" que tem ajudado alguns a alcançarem este alvo encontra-se em Atos 2.42-47. Pelo menos quatro elementos básicos contribuíram para a saúde espiritual da igreja primitiva e eles podem ser lembrados pelo acróstico C-E-I-A, ou seja:

Comunhão — **E**vangelização — **I**nstrução — **A**doração

O culto doméstico deve incluir estes quatro elementos numa dieta equilibrada.

4. Seja criativo e flexível

Ao comprar este livro, você já mostrou preocupação com o aspecto da criatividade. Certamente não queremos ser palhaços e nem mesmo "baratear" a Palavra de Deus, deixando de revelar a sua profundidade e as suas maravilhas. Também não podemos e nem devemos competir com o mundo. Mas não há nada de espiritual em cansar nossos filhos com a Palavra. O culto doméstico exige criatividade — aquela criatividade que vem do próprio Deus, de quem fomos criados à imagem e semelhança.

Para ser equilibrado e criativo, o pai deve ser flexível ao elaborar os seus planos para o culto doméstico, atento para aproveitar oportunidades especiais e mesmo inesperadas.

5. Seja apropriado e estimule a participação

O pai sábio conhece as características principais das idades dos seus filhos. ele não lê três capítulos do livro de Levítico para seu filho de 5 anos na hora do programa predileto de TV. Também não usa um livro de histórias em quadrinhos para contar a história de Davi e Golias a seu filho adolescente. Para aprender mais sobre as características de cada faixa etária, consulte o apêndice.

O culto doméstico, quando apropriado à idade dos seus filhos, estimula o interesse e a participação. Esta virá através de dramatizações, perguntas e respostas e ainda outras ideias criativas que sugerimos adiante.

6. Seja sensível ao Espírito Santo e às necessidades dos seus filhos

Dê liberdade para que o Espírito de Deus possa alterar a sua agenda para o culto doméstico. Uma briga na escola, a morte de um animal de estimação, um problema de disciplina são oportunidades para reflexão e profunda mudança de vida. O pai sensível identifica estas ocasiões e tira proveito delas para ensinar lições preciosas.

7. Seja breve

Em termos gerais, o culto doméstico deve durar de 5 a 10 minutos quando os filhos são pequenos. Se em determinada ocasião o ambiente for especialmente propício, é possível estendê-lo por mais tempo, mas deve ser uma exceção, e não regra.

8. Seja informal

O uso do termo "culto" não precisa assustar ninguém. Não queremos que vejam o culto doméstico como uma miniatura do culto público, formal e às vezes até frio. A adoração familiar deve ser viva e, conforme Deuteronômio 6.4-9, espontânea e natural. Ninguém ganha pontos com Deus pela formalidade. Nada se compara ao espírito de união que experimentamos ao nos acomodarmos no sofá da sala com nossas crianças no colo, de pijamas, para juntos cantarmos, orarmos e lermos a Palavra de Deus.

9. Seja ilustrativo

Quem dirige o culto doméstico deve fazer uso de material audio-visual para ilustrar as verdades bíblicas. Quanto mais jovens os participantes, mais importante será seguir este mandamento. É fato comprovado que aprendemos muito melhor quando participamos do estudo bíblico com TODOS os sentidos, e não somente com a audição. As ideias que apresentamos aqui têm o propósito de ajudá-los a tornar o culto doméstico uma experiência inesquecível, deixando a Palavra de Deus gravada na mente e no coração de todos. Costumo dizer que se a repetição é a mãe da aprendizagem, o uso de áudiovisuais deve ser o pai!

10. Seja prático

Um dos erros mais comuns no culto doméstico é a preocupação excessiva com o conteúdo e deficiente com a aplicação. Em outras palavras, os pais ficam satisfeitos quando enchem o cérebro da criança com informações sobre a Bíblia e esquecem de atingir o coração para promover mudança de vida.

O culto doméstico bem-sucedido nunca termina antes de descobrir pelo menos uma aplicação prática para a vida de cada membro da família. Sabemos que isto exige esforço. Mas alguma mudança concreta em vidas deve ser o alvo de todo estudo bíblico: *Sede praticantes da palavra e não somente ouvintes* (Tg 1.22).

Perguntas e respostas sobre o culto doméstico

1. **Temos duas crianças pequenas, com 3 e 5 anos de idade, e nunca fizemos um culto doméstico. Por onde começar?**
Sugerimos que vocês iniciem com livros devocionais simples, coloridos e breves. Cantem corinhos conhecidos, leiam a história bíblica e concluam com uma oração. O importante é que este tempo seja agradável, frequente e breve. Conforme forem se familiarizando com o culto doméstico, poderão aproveitar outras ideias que apresentamos neste livro.

2. **Somos recém-convertidos e temos filhos adolescentes. Como começar em nosso caso?**
Recomendamos que vocês também comecem devagar e com algo simples. Nossa sugestão é a leitura de um ou dois versículos do livro de Provérbios, a partir do capítulo 10, talvez após uma das refeições. Aproveitem para conversar sobre o que foi lido, aplicando o texto à luz da realidade em que vivem. Orem no final (uma oração breve!) e incluam pedidos especiais dos membros da família. Mais adiante poderão passar para outros

textos bíblicos que provoquem reflexão ou então escolher entre as várias ideias criativas que sugerimos mais adiante.

3. **Nossos filhos têm 4, 6 e 13 anos. Como planejar um culto que seja igualmente significativo para todos?**
Talvez não seja possível. Oferecemos algumas opções e vocês poderão variar conforme a ocasião:
    - Preparem um culto direcionado ao filho adolescente, cientes do fato de que somente algumas coisas serão aprendidas pelas crianças. O perigo é perder a atenção e o interesse dos pequenos.
    - Preparem um culto doméstico direcionado às crianças, com aplicações que possam ser aproveitadas também pelo filho adolescente. Obviamente o perigo é cansar o filho mais velho com histórias infantis.
    - Façam dois cultos distintos — com as crianças, em nível adequado a elas, e com o filho adolescente num estilo apropriado às necessidades dele.
    - Uma alternativa criativa: conquistem o seu filho mais velho para que ele mesmo dirija o culto das crianças, talvez logo antes do tempo que ele terá com vocês. Esta opção tem dado bons resultados em várias famílias.

4. **Quanto tempo deve durar o culto doméstico?**
Um erro bastante comum entre as famílias que se empolgam com a descoberta do culto doméstico é fazerem demais logo no início, e depois não conseguirem manter o ritmo e o padrão elevado. Sugerimos que, no início, o tempo de culto doméstico seja de 5 minutos para crianças pequenas e de 10 a 15 minutos para filhos adolescentes, até que vocês mesmos descubram o que é mais adequado para a sua família. Em ocasiões especiais, a duração poderá ser maior. Com os

filhos mais velhos, certamente surgirão oportunidades para discussões envolventes. Estejam sempre abertos para aproveitar esses momentos. Mas lembrem-se de que é melhor encerrar enquanto eles ainda estão pedindo mais!

5. **Quantas vezes por semana devo realizar o culto doméstico?**
   Com crianças pequenas, o ideal seria quatro a cinco vezes por semana. Reconhecemos que muitas vezes há competição com programas sociais, escolares e até com cultos e outros trabalhos da igreja, mas acreditamos que quatro vezes são o mínimo para se estabelecer um hábito sólido. Mas, se realmente for impossível atingir essa meta, mesmo *um* encontro semanal é melhor que nada. E, por favor, não se assuste pensando que Deus vai pegá-lo na esquina se falhar por uma ou duas noites em seguida. Estabeleça de início um alvo atingível e peça a graça de Deus para ser fiel.

6. **Levamos uma vida muito agitada. Não conseguimos reunir a família para o culto doméstico mais do que uma vez por semana. Vale a pena continuar?**
   Claro que sim! Não abram mão do tempo que já conseguiram separar para o culto doméstico. Olhem para as vitórias já ganhas e prossigam. Procurem melhorar em qualidade e sejam fiéis naquilo que podem fazer. Se bem planejados, um ou dois cultos por semana podem valer mais do que quatro ou cinco feitos sem cuidado.

7. **Qual o melhor horário para realizarmos o nosso tempo devocional?**
   Aqui também não existe uma regra fixa. Cada família tem horários e necessidades diferentes. O momento ideal é

quando a família toda está presente e com tempo disponível. Algumas famílias preferem ter seu tempo devocional ao redor da mesa, após uma das refeições. Pais de adolescentes descobrem que o café da manhã é o único tempo em que todos podem estar juntos. A instrução bíblica pela manhã também oferece a vantagem de preparar a família para enfrentar o novo dia. Em nossa experiência, o melhor tempo era à noite, logo antes de as crianças irem dormir. Naquela hora, todos os nossos filhos procuravam uma desculpa para não precisarem se deitar e ficavam muito receptivos ao culto doméstico.

8. **Onde devemos nos reunir?**
Muito depende do horário que vocês escolhem. Mesmo assim, variedade e criatividade dão mais vida ao culto doméstico. Nossa família gostava de se reunir no sofá da sala. Às vezes ficávamos ao redor da mesa, saíamos para o quintal ou sentávamos todos na nossa cama.

9. **Qual versão da Bíblia devo usar?**
Nos últimos anos tem sido publicada uma grande variedade de versões da Bíblia, algumas delas de mais fácil compreensão. Com os menores, você provavelmente irá começar usando livros ilustrados de histórias bíblicas. Depois passará para uma versão acessível ao entendimento dos seus filhos. Visite uma livraria evangélica e procure a Bíblia mais adequada à idade dos seus filhos, sua denominação etc.

10. **Nem sempre nossa filha mais velha quer participar do culto doméstico. Devemos exigir a presença dela?**
É até certo ponto normal que a sua filha passe por fases de rebeldia ou desinteresse e não queira participar do culto

doméstico. A princípio, quando um filho não quer participar do culto doméstico, algo está errado. Verifique o que pode ser em seu caso. O culto doméstico costuma ser muito demorado? O conteúdo é interessante e atraente? O nível é apropriado? Será que a sua filha está enfrentando pressão por parte dos colegas? Ou talvez ela esteja passando por outros problemas. Como pais, mantenham-se sensíveis à agenda do Espírito Santo para a vida da sua filha e lidem com os diversos problemas, ainda que isso talvez implique alguma mudança na programação que já haviam previsto para o culto doméstico. Não dispensem o encontro familiar, mas procurem fazer com que ele seja adequado ao momento que a sua filha vive.

Ainda que o incentivemos a exigir a presença de toda a família no culto doméstico, talvez haja ocasiões em que você possa dar um pequeno espaço para a sua filha se afastar um pouquinho. Quanto à participação ativa através do canto, da oração ou da leitura bíblica, achamos melhor não a forçar. Não queremos encorajar hipocrisia. Mas sua filha pode ficar atenta, mostrando respeito para com os outros membros da família que querem participar. No caso de filhos adolescentes, quando o desinteresse em participar costuma ser comum, sugerimos aos pais que usem maior variedade de métodos, que conversem com seus filhos para descobrir o que eles gostariam de fazer no culto doméstico e que mostrem este livro a eles, permitindo que escolham algumas atividades. Talvez a melhor maneira para se ganhar um adolescente seja responsabilizá-lo por planejar ou mesmo dirigir o culto.

11. Meu marido não é crente. Como devo proceder?

Se ele permitir, faça o culto doméstico com os filhos, escolhendo um horário adequado para não ofender seu marido.

Persevere na instrução bíblica dos seus filhos, ainda que isto requeira um esforço a mais por você ser sozinha. Caso seu marido não permita o culto, você tem a responsabilidade de ganhá-lo através do respeito e do comportamento submisso (1Pe 3.1). Ore por ele e converse sobre a importância deste assunto para você. Mas se você perceber resistência, desista por enquanto. Ainda que não possa realizar um culto doméstico "formal", não deixe de aproveitar para transmitir instrução bíblica e moral nas oportunidades informais que surgem no decorrer do dia.

12. Como podemos lidar com as interrupções que surgem durante o culto doméstico?

Há alguns passos simples e concretos que podem ajudá-los a lidar com interrupções:

- Desliguem a televisão, computadores etc.
- Desliguem o aparelho de som,
- Desliguem o telefone,
- Fechem a porta e
- Se alguém chegar, expliquem o que estão fazendo e convidem o visitante a participar com vocês.

13. O que fazer quando temos visitas em casa?

Costumamos ter hóspedes em casa com certa frequência e descobrimos que eles gostam bastante de observar o que fazemos e de participar conosco no culto doméstico. É uma ótima oportunidade para contagiá-los e instruí-los quanto ao culto doméstico. E vocês podem até mesmo aproveitar a presença das visitas para fazer uma entrevista com elas, orar por suas necessidades ou promover uma gincana bíblica com a participação de todos.

14. Como devemos lidar com problemas de mau comportamento durante o culto doméstico?
Não queremos que seja um tempo desagradável, mas de vez em quando as crianças são quase insuportáveis.

O culto doméstico deve ser divertido, mas também exige respeito, obediência e disciplina. Problemas de comportamento podem ser um sinal de que o culto não está atingindo as necessidades das crianças. Por outro lado, podem ser uma simples manifestação da natureza humana. Os pais devem instruir seus filhos com muita clareza quanto ao comportamento esperado durante o culto. Na hora da indisciplina, adverti-los uma vez. Depois, sugerimos que você siga Provérbios 13.24.

15. Parece que nunca há tempo para o culto doméstico em nossa família. Você pode nos ajudar?
Vocês já devem ter descoberto que não é tão difícil encontrarmos tempo para aquelas coisas que consideramos de fato importantes. Orem para que Deus mostre a vocês o que deve deixar de fazer parte da sua agenda, abrindo espaço para o culto doméstico.

Cremos que há uma certa inversão de valores quando temos tempo para aulas de teclado, inglês ou esporte, mas não conseguimos nos reunir para estudar a Palavra de Deus. Talvez possa parecer um pouco estranho, mas o ativismo religioso também chega a ser um inimigo do culto doméstico. O calendário da igreja pode nos envolver em tantos programas que não sobra tempo para a instrução bíblica no contexto do lar. Concordamos com o dr. Howard Hendricks quando ele afirma que "a atividade demasiada é estéril e grande parte da nossa atividade nada mais é do que uma anestesia para minorar a dor de uma vida vazia".[2] É bastante difícil dizer "não" quando somos requisitados e há expectativas quanto à nossa participação. Mas precisamos nos lembrar de que cada vez que dizemos "sim" a mais uma atividade, estamos na realidade dizendo "não" à nossa família.

Quero ajudá-los dando sugestões práticas para resgatar alguns momentos do dia para o culto doméstico. Comecem por desligar sua televisão durante um intervalo de tempo. Conversem entre si para descobrir a hora mais favorável do dia, quando todos costumam estar em casa e disponíveis. Assumam então o compromisso de realizar o culto doméstico e estabeleçam que ninguém terá o direito de se envolver diferentemente naquele horário sem a permissão da família.

16. Começamos a ler um livro durante o culto doméstico. Chegamos perto da metade, mas descobrimos que a leitura não desperta interesse algum. E agora? Devemos sofrer até o final?

Certamente há valor em concluir um projeto, mas nunca sacrifique o seu culto doméstico no altar das exigências auto impostas. Quando um método se mostrar cansativo, tudo indica que já passou da hora de mudar.

17. O que fazer quando um membro da família não pode estar presente?

Mantenha o culto doméstico mesmo assim. Se você está no meio de uma série de lições ou de uma leitura especial, talvez queira interromper e fazer algo diferente quando alguém precisa estar ausente. Mas não prejudique os demais pela ausência de um.

18. Ainda não temos filhos. Devemos fazer um culto doméstico?

Claro que sim! Começar desde já é a melhor maneira de garantir a continuidade do hábito quando os filhos chegarem.

Leiam a Bíblia juntos, conversem sobre as suas dúvidas e descobertas, orem juntos. Leiam também bons livros evangélicos e discutam o conteúdo. Durante os primeiros anos do nosso casamento, costumávamos viajar juntos a serviço. Na estrada, minha esposa lia em voz alta livros cujo conteúdo foi de forte impacto em nossas vidas e que até hoje exercem influência em nossa maneira de pensar.

19. Quem deve dirigir o culto doméstico?

Não existe uma regra. Sugerimos que a tarefa seja de responsabilidade do pai, pois valoriza o encontro familiar, encoraja o bom comportamento de todos e segue os princípios bíblicos de liderança masculina no lar. De vez em quando, o pai pode delegar a liderança do culto à mãe, mesmo ele estando presente. Em algumas famílias a mãe prepara o culto com criatividade e o pai encarrega-se de dirigi-lo. Assim que for possível, os filhos também devem participar no planejamento e na direção do culto.

20. Estamos envolvidos no ministério em tempo integral. Quase todas as noites participamos de trabalhos na igreja e não sobra tempo para o culto doméstico. Será que ele é realmente necessário em nosso caso?

Cremos que sim. Um dos perigos do ministério evangélico, e uma das razões por que muitos filhos de pastores e missionários abandonam a fé é o fato de os pais estarem sempre ministrando a outros e esquecendo de separar tempo para os seus próprios filhos. Cremos que os nossos filhos são o nosso primeiro ministério. Conforme 1Timóteo 3.4,5 e 12, a autoridade ministerial baseia-se na liderança do lar. Deixa-nos alertas meditar na história de homens de Deus como Eli, Samuel e Davi, que lideraram outros, mas perderam seus próprios filhos.

Entendemos bem as pressões do ministério e as vantagens de ter nossos filhos envolvidos na obra do Senhor desde cedo. Mas eles também precisam de tempo familiar e individual com os pais. Se isto não for possível à noite, devido aos cultos ou outras atividades, usem de criatividade para abrir um outro espaço na agenda e dar ouvidos e instrução à sua própria família. Se chegarem à conclusão de que estão muito ocupados para isto, acabaram de descobrir que estão ocupados demais.

101 ideias criativas

Alguns anos atrás, quando minha esposa estava esperando nosso primeiro filho, fomos passear num parque de diversões aquáticas. Foi uma tarde maravilhosa, com sol quente e água refrescante. Mas naquela tarde vi algo que me marcou profundamente, por ser uma ilustração daquilo que encontro muitas vezes nas igrejas.

Na entrada do parque, deparamo-nos com um homem que parecia uma mistura de Arnold Schwarzenegger com o Hulk, um verdadeiro "super-homem". Ele tinha músculos sobre músculos e entrou com "aquele" andar: músculos flexionados, veias gritando para saltar da pele ... e mãos vazias. Mas não foi o homem quem mais me chamou a atenção, e sim sua esposa. Ela, magrinha e obviamente exausta, vinha logo atrás, com seus três filhos. Curvava-se com o peso de um isopor cheio, um guarda-sol e uma sacola de roupas.

Fiquei indignado. Não disse uma palavra sequer ao homem (ainda bem, senão este livro nunca teria sido escrito!), mas pensei na situação espiritual de tantos lares e igrejas. Há muitos cristãos que são "super crentes" intelectualmente, que sabem todas as respostas e toda a doutrina, mas que deixam muito a desejar na prática da Palavra.

Não é suficiente saber o valor do culto doméstico e como dirigi-lo. Este conhecimento precisa descer uns 38 centímetros do cérebro até o coração, e do coração até as mãos. Não estamos escrevendo nosso livro para promover "musculação espiritual", mas com o propósito de incentivar a prática do culto doméstico e da instrução familiar.

Para encorajá-lo nesta tão grande tarefa, oferecemos uma série de ideias criativas e práticas, que visam promover variedade, provocar interesse e ainda estimular a sua própria criatividade no treinamento dos seus filhos no caminho do Senhor.

Certamente você não vai querer usar ideias criativas cada vez que reunir a família para o culto doméstico. Seus filhos, especialmente quando pequenos, precisam de muita estabilidade, repetição e coerência. Mas "estabilidade" não implica necessariamente monotonia. Por isso, seria muito bom acrescentar uma ou outra dessas ideias à sua rotina normal. sua família começará a esperar ansiosamente pela hora do culto doméstico.

Para facilitar o uso, dividimos as ideias em cinco grupos.

Oração

Quase sempre o seu culto doméstico incluirá um tempo de oração. Não é necessário fazer um *tour* pelos campos missionários do mundo, o que resultaria num período longo e cansativo de oração. Planeje algo breve, com a participação ativa dos vários membros da família. Algumas vezes, a ênfase da reunião poderá estar na oração, e para estas ocasiões você encontrará ideias específicas.

Adoração

O nome "culto doméstico" harmoniza-se bem com o aspecto de "adoração". A família cristã precisa tomar cuidado para não fazer do altar familiar um púlpito que enfatiza exclusivamente a instrução. Às vezes é necessário parar para reconhecer que Deus é Deus e para louvá-lo por aquilo que ele é e tem feito. Sugerimos aqui atividades especiais que têm o propósito de gerar um espírito de gratidão e louvor na família. Queremos dar um destaque especial às ideias que incluem expressões musicais.

Instrução

Nos encontros familiares a instrução ocupa o lugar principal. Dividimos esta parte do livro em três categorias:

- Memorização — ideias para que TODOS possam gravar e recordar a Palavra de Deus;
- Leitura bíblica — estratégias e técnicas para dinamizar a leitura da Palavra;
- Ensino — sugestões de temas, séries de lições e atividades especiais, incluindo brincadeiras e outras técnicas de revisão.

Missão

Para que a família não se volte totalmente para si, sugerimos maneiras de "levantar os olhos" e ver os campos ao redor do mundo. Este elemento do culto doméstico contribuirá muito para formar "praticantes" da Palavra e não somente "ouvintes".

Memoriais

Conforme os exemplos bíblicos — o arco-íris, o batismo, a Ceia do SENHOR etc. —, memoriais têm o propósito de relembrar à família a fidelidade de Deus no passado e promover confiança e segurança no presente. As atividades que sugerimos visam registrar momentos preciosos na vida familiar como recordações da bondade de Deus.

Você está pronto? Agora é hora de colocar em prática o que já aprendemos sobre o culto doméstico. É hora de exercitar os seus "músculos espirituais" no ministério do altar familiar. Que Deus lhe dê momentos preciosos e inesquecíveis no uso de algumas destas ideias em seu lar.

parte 1

Oração

1 Intercessão mundial

- *Material necessário*: Jornais, cartas circulares de missionários conhecidos e boletins de missões. Sugerimos o uso do livro *Batalha Mundial*, por Patrick Johnstone e Jason Mandayk, que apresenta fatos interessantes e pedidos específicos de oração, abrangendo todos os países do mundo.
- *Procedimento*: Cultivem o hábito de orar por missões mundiais. Podem aproveitar, por exemplo, o momento em que a família está reunida para uma das refeições. Leiam as informações sobre o país pelo qual irão orar e conversem sobre as necessidades locais. Talvez possam lembrar algum missionário conhecido que está naquele campo. Periodicamente separem uma noite para oração missionária.

2 Quadro de oração

- *Material necessário*: Fotos de amigos, missionários e colegas, fixadas num quadro de cortiça ou isopor.
- *Procedimento*: Escolham um lugar apropriado para afixar o quadro, perto de onde vocês costumam se reunir para orar.

Cultivem o hábito de orar pelas pessoas cujas fotos estão no quadro, caminhando "foto por foto". Uma pequena seta ou outro tipo de marcador pode indicar a última pessoa que foi lembrada. Aproveitem para compartilhar notícias recentes e para destacar as qualidades que vocês admiram naquela pessoa. Um membro da família pode ficar responsável por entrar em contato com a pessoa, transmitindo-lhe o encorajamento de que foi lembrada naquele dia.

3 Dias da semana

Escolham um tema específico de oração para cada dia da semana. Será útil manter um diário de pedidos e respostas.

Segunda-feira	→	Parentes
Terça-feira	→	Amigos descrentes
Quarta-feira	→	Missionários
Quinta-feira	→	Amigos
Sexta-feira	→	Necessidades da própria família
Sábado	→	Louvor e gratidão
Domingo	→	Obreiros da igreja

4 Diário de oração

- *Material necessário*: Caderno, papel, lápis ou caneta.
- *Procedimento*: Registrem os pedidos de oração e as respostas recebidas. Incluam fotos e lembranças dos cultos mais significativos para a vida familiar. De vez em quando, separem alguns minutos para folhearem juntos o diário de oração e perceberem como Deus tem agido em seu lar.

5 Boas notícias

- *Atividade da noite*: Compartilhar boas notícias sobre pessoas conhecidas da família ou sobre eventos atuais. O propósito é estimular palavras sadias e não torpes, além de incentivar um espírito de gratidão e contentamento. Em seguida, orem agradecendo a Deus pelas vidas e pelos eventos citados.

6 Natal vivo

- *Material necessário*: Cartões de Natal recebidos e/ou cartas de amigos.
- *Procedimento*: Cultivem o "espírito de Natal" durante o ano todo, relembrando os amigos distantes. Durante o mês de dezembro, guardem todos os cartões e/ou cartas de Natal que receberem. A partir do dia primeiro de janeiro, comecem a ler novamente a correspondência, uma por dia, falando sobre a pessoa que a enviou, destacando suas necessidades (pedidos de oração, trabalho, escola etc.) e orando por ela.

7 As muralhas de Jericó

A exemplo dos israelitas que marcharam em volta da cidade de Jericó, a família irá marchar e orar a respeito de algum obstáculo ou desafio que tem à frente. Leiam juntos a história do povo de Israel (Js 6.1-20) e em seguida orem em voz alta enquanto andam em duplas ao redor da casa ou num parque.

8 Vigília de oração

Planejem uma vigília de oração, reservando tempo para cânticos, testemunhos, oração em duplas, oração individual, oração em conjunto, lanche, caminhada de oração etc. Para outras ideias, consulte *101 ideias criativas para grupos pequenos*, Editora Hagnos.

9 Outras variações na oração familiar

- *Postura*: Orem de pé, ajoelhados, já na cama antes de dormir, sentados, de mãos dadas, com olhos abertos ou fechados.
- *Lugar*: Reúnam-se na varanda da casa, no sofá da sala, ao redor da mesa, no quintal, num parque.
- *Método*: A oração pode ser em voz alta, silenciosa, em frases curtas ou completando expressões como, por exemplo, "Obrigado, SENHOR, por ________________" ou "Eu te amo, SENHOR Jesus, porque ________________". A oração pode incluir vários aspectos ou expressar especificamente gratidão, confissão ou louvor.
- *Eventos esportivos*: Que tal aproveitar momentos de grande interesse no mundo dos esportes para voltar a atenção da família para valores eternos? Use eventos como o Brasileirão para orar pelos vários Estados do Brasil, as Olimpíadas e a Copa Mundial para orar pela carência do evangelho em vários países.

parte 2

Adoração

10 "Querido Deus..."

- *Material necessário*: Papel, canetas, material para desenho.
- *Procedimento*: Escrevam uma carta para Deus. Cada um terá oportunidade para expressar louvor, gratidão pelos acontecimentos dos últimos dias ou pedidos específicos. Guardem a carta num álbum especial da família, como memorial à fidelidade do Senhor.

11 Passeio na natureza

Afastem-se do corre-corre e programem um passeio num parque, bosque ou jardim perto da sua casa. Aproveitem para conversar sobre a criação como expressão da grandeza e da bondade de Deus. Despertem sua capacidade de observação e procurem detectar aqueles detalhes da criação que geralmente passam despercebidos.

12 Noite dos talentos

Planejem uma reunião familiar em que cada um possa louvar a Deus usando um talento especial. O programa pode incluir solos, duetos ou outros conjuntos vocais da família, música instrumental, leitura de poesias, dramatizações, teatro de fantoches, esquetes. Na ocasião, podem também montar uma exposição de obras de arte. Os trabalhos devem seguir um tema bíblico previamente escolhido ou podem ser resultado de trabalhos manuais feitos na escola dominical ou escola bíblica de férias. Durante a exposição, cada "artista" pode explicar o significado do seu trabalho e contar a história bíblica a que está relacionado. O evento pode terminar com a leitura de Mateus 25.14-30 — a parábola dos talentos — e um desafio para que cada pessoa invista tudo o que possui, não só bens, mas também dons e talentos, para o reino de Deus. Talvez seja uma boa oportunidade para convidarem parentes, vizinhos e outros amigos.

13 "Meu Deus é tão grande que..."

Pratiquem um exercício de louvor, dando aos membros da família oportunidade para completarem a frase "Meu Deus é tão grande que...". Cada um expressará uma ideia original e especialmente significativa em sua vida. Continuem até que as ideias se esgotem!

Alguns exemplos:

- "Meu Deus é tão grande que sabe o número de pássaros que há no mundo inteiro."
- "Meu Deus é tão grande que vê o que está acontecendo neste instante no outro lado da lua."
- "Meu Deus é tão grande que ouve o barulho dos peixes no fundo do mar."

14 Corrente de bênçãos

- *Material necessário*: Tiras de papel colorido (4x15 cm), grampeador, fita adesiva ou cola, lápis ou caneta.

- *Procedimento*: Reúnam-se para alistar algumas bênçãos que Deus tem concedido à família e escrevam cada uma delas numa faixa de papel colorido. Prendam os papéis de modo a formar os elos de uma corrente que simbolize as bênçãos desfrutadas pela família. Pendurem a "corrente de bênçãos" num lugar de destaque e acrescentem a ela novos elos de tempos em tempos.

15 Culto da ressurreição

Este evento pode ser realizado em qualquer dia do ano, mas é especialmente apropriado para a manhã de Páscoa. Separem as roupas que irão usar e deixem o café da manhã já preparado na noite anterior, acondicionado numa cesta. Todos devem acordar pelo menos 30 minutos antes do nascer do sol para juntos se dirigirem a um lugar alto e isolado, onde seja possível assistir ao raiar do novo dia. Cantem, compartilhem, orem e leiam a narrativa bíblica da ressurreição de Jesus. Tomem o café da manhã e então voltem para casa e preparem-se para as atividades na igreja.

16 Ceia

Celebrem a Ceia do Senhor em família. Trata-se de uma ocasião especial, possivelmente uma reunião de todos os familiares num dia festivo como Natal ou Ano Novo. Os participantes devem ser avisados com antecedência para que possam acertar eventuais atritos com outros membros da família. Durante a reunião, mantenham o espírito de celebração através de cânticos apropriados, leitura bíblica, testemunhos, compartilhar. O dirigente deve explicar o significado da Ceia e então distribuir os elementos.

Se a família tem a convicção de que a Ceia deve ser administrada somente pelo pastor, poderá convidá-lo para a ocasião.

17 Culto de celebração especial

Aproveitem datas especiais como aniversários, Dia dos Pais ou Dia das Mães, para fazer um culto especial. Orem a Deus agradecendo pela pessoa ou pela data. Quando apropriado, ofereçam palavras de encorajamento e uma lembrança especial.

18 Culto de consagração

Reúnam-se para consagrar ao SENHOR algo especial adquirido recentemente — moradia, veículo, aparelho, etc Lembrem que tudo vem da mão do SENHOR (Sl 24.1) e que deve ser usado para a sua glória e o seu reino (Mt 6.33). Se for possível, guardem uma lembrança concreta do momento através de fotos, gravação/filmagem ou um registro no diário ou "Ata Oficial" da família.

Sugestão para a "ordem do culto":

- Cânticos de louvor e agradecimento
- Testemunhos da fidelidade de Deus em dar aquele benefício
- Leitura bíblica de Mateus 6.19-21 ou Provérbios 3.5-10
- Oração de consagração de mãos dadas

19 "Estudo" musical

Planejem um culto de louvor e antes de cantar separem algum tempo para "estudar" cada hino ou cântico, observando os detalhes da letra, destacando os sentimentos expressos pelo autor, a doutrina e a mensagem. Cada pessoa pode ficar responsável por procurar informações na internet sobre um cântico ou hino.

20 Rodízio de cânticos

Reúnam-se para um culto cantado. Uma pessoa dará início sugerindo um cântico que todos conheçam. A seguir, outra irá sugerir um novo cântico que comece com uma das palavras com que o primeiro terminou. Continuem assim até esgotar as possibilidades. Quando a sequência for impossível, comecem tudo de novo. (O rodízio funciona muito bem como passatempo quando a família está numa viagem longa de carro.)

Um exemplo:

Primeira linha	Última linha
"A alegria está no coração...	... é o amor que só tem quem já conhece a Jesus."
"Jesus, em tua presença reunimo-nos aqui...	... estamos nós aqui."
"Aqui viemos te adorar, ó Cristo...	... confirme a nossa oração."
"Ao orarmos SENHOR...	... nos unimos a ti em oração."

21 Variações no canto

Sejam criativos na maneira de cantar, usando algumas destas ideias:

- Cantar com gestos
- Cantar batendo palmas
- Cantar com mãos erguidas
- Cantar de mãos dadas
- Cantar à capela
- Assobiar uma estrofe em vez de cantar

22 Noite de música

Reúnam-se para um culto de louvor. Incluam números especiais ensaiados com antecedência ou simplesmente cantem os hinos e cânticos prediletos, que podem ser acompanhados por instrumentos convencionais ou feitos pelas próprias crianças. Durante o programa, leiam o Salmo 98.

Sugestões para preparar seus próprios instrumentos:

- Chocalho: coloque pedrinhas ou outros objetos dentro de uma latinha ou frasco com tampa.
- Bateria: use uma caixa, panela ou bacia virada de ponta cabeça e uma colher de pau.
- Címbalo: duas tampas de panela que batem uma contra a outra.
- Flauta: encha várias garrafas de refrigerante com quantidades diferentes de água e disponha-as em ordem crescente, da mais vazia para a mais cheia. Assopre no gargalo para extrair sons baixos e agudos.
- Sininhos: encha vários copos de vidro com quantidades diferentes de água e disponha-os em ordem crescente, do mais vazio para o mais cheio. Bata nos copos com uma faca para extrair diferentes sons.
- Violão: estique elásticos de grossuras diferentes em volta de uma caixa de sapato. Toque como se fossem cordas de um violão.

Usando a sua criatividade será possível fazer muitos outros instrumentos. Experimente e divirta-se. Você encontrará também alguns instrumentos infantis a custo não muito elevado nas lojas de brinquedos e em lojas de instrumentos musicais. O importante é que seus filhos desenvolvam gosto pelo louvor desde pequenos.

parte 3

Instrução

Memorização

23 Jogo do versículo

- *Material necessário*: Bola ou outro objeto que possa ser lançado com facilidade.
- *Procedimento*: Leiam várias vezes em voz alta o versículo a ser memorizado. Quando todos já estiverem familiarizados com o texto, deem início à brincadeira. Alguém deve segurar uma bola, falar a primeira palavra do versículo e lançar a bola para outra pessoa. Esta deve dar a segunda palavra e passar adiante a bola. Continuem até completar o versículo. Se alguém errar uma palavra ou deixar cair a bola é eliminado do jogo.

24 Quebra-cabeça bíblico

- *Material necessário*: Cartolina, lápis de cor, tesoura, figuras, cola.
- *Procedimento*: Escreva numa cartolina o versículo a ser memorizado e peça às crianças para ilustrarem a verdade do texto com desenhos ou figuras coladas, de preferência não

muito pequenas e formando um quadro. Recorte o trabalho de modo a obter um quebra-cabeça que elas poderão montar várias vezes.

25 Carta enigmática

Escreva um versículo por meio de símbolos que representem suas palavras. As crianças devem decifrar os desenhos enquanto memorizam o versículo.

- *Exemplo*: Pense em símbolos que possam representar o texto bíblico que segue.

  Guardei a tua palavra no coração para não pecar contra ti. (Sl 119.11)

26 Apagando a memória

- *Material necessário*: Quadro negro, giz, apagador.
- *Procedimento*: Escreva um versículo no quadro negro e deixe que as crianças o leiam em voz alta várias vezes. Comece então a apagar as palavras, uma por vez, enquanto todos continuam a repetir o versículo inteiro (inclusive as palavras apagadas) até que não reste mais nenhuma palavra no quadro e... o versículo já esteja na memória.

27 Forca

Risque numa folha de papel o número de traços correspondentes às letras das palavras que formam o versículo a ser descoberto. Divida a família em dois times e desenhe uma forca para cada time. Sorteie o grupo que irá começar. Os times devem tentar adivinhar as letras e formar as palavras, para então descobrir qual é o versículo. Cada time deve falar uma letra por vez e, se esta faz parte do versículo, ela será anotada em todos os espaços onde figura. Quando alguém sugere uma letra que não consta do versículo, desenha-se uma parte do boneco (cabeça, braços, pernas etc.) na forca do seu time. Continue até que alguém consiga adivinhar o versículo.

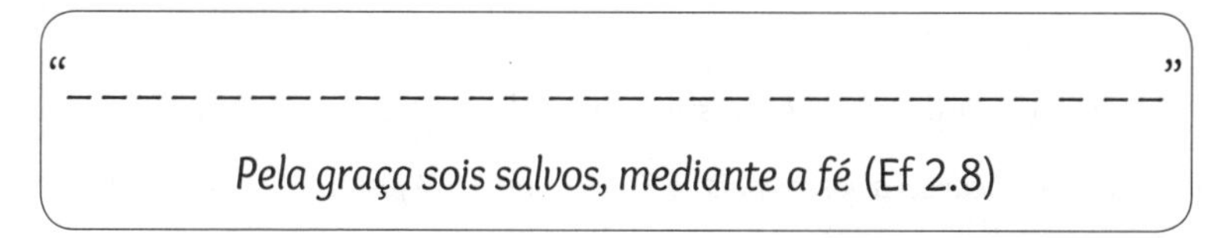

"____ _____ ____ ______ _________ _ __"
Pela graça sois salvos, mediante a fé (Ef 2.8)

28 Completem este provérbio[3]

Cada membro da família deve citar a primeira parte de um ditado popular a sua escolha e deixar que os demais o completem:

"Filho de peixe..."
"Água mole em pedra dura..."
"Melhor prevenir do que..."

Façam então o mesmo exercício com provérbios bíblicos:

"A resposta branda desvia o furor, mas a palavra dura..."
"Como o ferro com o ferro se afia..."
"Mais vale o bom nome do que..."

29 Memorização alfabética

Selecionem versículos (ou parte de versículos) que comecem com as diferentes letras do alfabeto e memorizem-nos em ordem alfabética.

■ *Exemplo:*

	Versículo	Texto
A	*Alegrai-vos sempre no SENHOR; outra vez digo, alegrai-vos.*	Fp 4.4
B	*Buscai, pois, em primeiro lugar o seu reino e a sua justiça...*	Mt 6.33
C	*Confia no SENHOR de todo o teu coração...*	Pv 3.5,6
D	*... Deus é amor.*	1Jo 4.8
E	*Em tudo dai graças, porque esta é a vontade de Deus...*	1Ts 5.18
F	*Filhos, obedecei a vossos pais no SENHOR, pois isto é justo.*	Ef 6.1
G	*Grande é o SENHOR e mui digno de ser louvado...*	Sl 48.1
H	*Honra a teu pai e a tua mãe.*	Ef 6.2
I	*Ide, portanto, fazei discípulos de todas as nações...*	Mt 28.19
J	*Justo é o SENHOR em todos os seus caminhos...*	Sl 145.17
L	*Lançando sobre ele toda a vossa ansiedade...*	1Pe 5.7
M	*... maior é aquele que está em vós ...*	1Jo 4.4b
N	*Não só de pão viverá o homem, mas de toda palavra...*	Mt 4.4
O	*O salário do pecado é a morte...*	Rm 6.23
P	*Porque Deus amou ao mundo de tal maneira...*	Jo 3.16
Q	*Quem há semelhante ao SENHOR nosso Deus...*	Sl 113.5
R	*Regozijai-vos sempre.*	1Ts 5.16
S	*Se Deus é por nós, quem será contra nós?*	Rm 8.31b
T	*... todos pecaram e carecem da glória de Deus.*	Rm 3.23
U	*Uma cousa peço ao SENHOR, e a buscarei...*	Sl 27.4
V	*Vence o mal com o bem.*	Rm 12.21b
X	*Exercita-te pessoalmente na piedade.*	1Tm 4.7b
Z	*O zelo da tua casa me consumiu...*	Sl 69.9

30 Composição original

Se alguns membros da família possuírem talento musical, poderão compor músicas para acompanhar os versículos prediletos.

31 Varal da memória

- *Material necessário*: Barbante, clipes ou prendedores de roupa, folhas de papel.
- *Procedimento*: Escreva em folhas de papel todas as palavras do versículo que será memorizado. Cada palavra deve ocupar uma folha. Pendure num "varal" o versículo completo, com as palavras na ordem certa. Leiam o texto juntos, várias vezes, e então misture as folhas no varal. Desafie as crianças a colocarem as palavras novamente na ordem certa e, para motivá-las, cronometre o desempenho de cada uma. Por fim, tire as folhas uma a uma, repetindo sempre o versículo completo, até que o varal fique vazio.

32 Caixa da memória[4]

- *Material necessário*: Folhas de papel (5x10 cm), canetas, uma caixa pequena, fita.
- *Procedimento*: Durante algumas semanas, os membros da família devem entrevistar parentes, amigos, obreiros da igreja, professores da escola dominical, missionários, etc., fazendo a seguinte pergunta: "Qual é o seu versículo predileto?" Depois de colecionar um bom número de informações, escolham uma noite especial para se reunirem e prepararem a "caixa da memória". Cortem as tiras de papel, e em cada uma escrevam o nome de uma das pessoas entrevistadas e o seu versículo predileto, por extenso. Enrolem cada folha e

amarrem com um pedacinho de fita. Arrumem os canudos de pé dentro da caixa, até que esta fique lotada. De tempos em tempos, tirem versículos da caixa para serem memorizados. Se a caixa estiver muito lotada, usem a ponta de um lápis para retirar um rolo sem estragar os demais. Quando estiverem lendo o versículo, lembrem-se de que ele é de particular significado na vida de um amigo, o que certamente tornará mais atraente a memorização.

33 Copo da memória

- *Material necessário*: Um copo contendo várias "palavras-chave" escritas em cartões. Use, de preferência, palavras contidas nos versículos que a família tem memorizado.

Por exemplo, para uma família que tenha decorado Efésios 2.8,9, Romanos 6.23 e Provérbios 15.13, o copo poderá conter as seguintes palavras:

Coração	Dom	Salário	Rosto
Sábio	Homem	Fé	Amor
SENHOR	Graça	Pecado	Morte
Vida	Salvador	Deus	Jesus
Céu	Tesouro	Obra	Espírito

- *Procedimento*: Tirem do "copo da memória" três ou quatro cartões e procurem lembrar versículos que contenham as palavras escolhidas. Uma concordância ou uma chave bíblica podem ajudar nos casos mais difíceis.
- *Exemplo*: Se a família pegar as palavras "Deus", "fé" e "graça", um versículo a ser lembrado é Efésios 2.8,9.

34 Outras ideias para memorização

Entre os vários recursos para estimular e facilitar a memorização, queremos destacar mais alguns:

- Concursos entre adultos e crianças, meninos e meninas, por times;
- Gráficos de progresso, mostrando os versículos já decorados, e
- Memorização em família dos versículos pedidos na escola dominical ou no clube bíblico.

Leitura bíblica

35 Um provérbio ao dia

Talvez o melhor guia para o culto doméstico que encontramos na Palavra de Deus seja o livro de Provérbios. ele foi escrito como manual de treinamento prático e deve ser bem aproveitado para a instrução bíblica dos nossos filhos. O fato de conter 31 capítulos, faz do livro de Provérbios um ótimo "programa" de leitura bíblica diária para ser seguido durante um mês, lendo a cada dia o capítulo correspondente (no dia 7, por exemplo, leia o capítulo 7). Um outro bom programa é fazer a leitura diária de um versículo do livro de Provérbios durante uma das refeições ou como suplemento do culto doméstico. Conversem sobre o significado do versículo e descubram como ele pode ser aplicado no dia a dia de cada membro da família.

36 Um salmo ao dia

O livro de Salmos pode ser lido em pequenas doses ou durante cinco ou seis meses seguidos, um salmo ao dia. Dividam os salmos maiores em vários dias. Após a leitura, conversem sobre as circunstâncias em que o texto foi escrito, as emoções do salmista e como ele recorreu ao SENHOR nas várias situações.

37 Paráfrase

Leiam juntos um versículo bíblico. Em seguida, cada um deve expressar em suas próprias palavras a ideia do versículo e explicar o que o levou a escolher aquelas palavras. Para ganharem maior habilidade na arte de parafrasear, leiam outras versões da Bíblia.

38 Através da Bíblia

Uma prática bastante proveitosa para a família é a leitura completa da Bíblia. Há vários planos que ajudam a cumprir a leitura em um, três ou cinco anos. Será bom marcar o progresso num gráfico. Sugerimos que não ocupem todas as reuniões de culto doméstico somente com leitura da Bíblia, mas incluam outras atividades e também variem nas técnicas de leitura. Uma boa ideia seria pedir que os membros da família lessem em particular algumas das partes mais difíceis, como Levítico, Ezequiel, 1Crônicas, e utilizar a reunião familiar para discutir o texto e extrair uma aplicação prática. Veja o gráfico no apêndice.

39 Espada afiada

Uma pessoa cita uma referência bíblica enquanto as demais ficam com suas "espadas" (Bíblias) levantadas e fechadas. Dado um sinal, todos procuram a referência. O primeiro a ler o versículo pedido ganha um ponto. Para tirar maior proveito deste exercício, sugere-se a escolha de versículos dentro de um único tema, aproveitando para revisar os assuntos já estudados no culto doméstico.

40 Técnicas de leitura

A variedade nas técnicas de leitura da Bíblia desperta maior interesse. Experimentem algumas das sugestões abaixo:

- Leitura antifonal — metade da família lê um versículo e os demais respondem lendo o versículo seguinte
- Leitura em uníssono — todos juntos
- Leitura em versões diferentes
- Leitura em posições diferentes — sentados, em pé, ajoelhados
- Leitura só pelas crianças
- Leitura dramatizada
- Leitura enfática — ler o versículo tantas vezes quantas são as palavras que ele contém, e dar ênfase cada vez a uma palavra diferente:

__O SENHOR__ é o meu pastor
O SENHOR __é__ o meu pastor
O SENHOR é o __meu__ pastor
O SENHOR é o meu __pastor__

Ensino

41 O que você faria?

Dê início a um arquivo de situações práticas que desafiem os membros da família a encontrar soluções baseadas em princípios bíblicos e morais. Ocasionalmente selecione uma ou duas questões e apresente-as à família. Este método é bastante útil para fazer uma revisão dos princípios já aprendidos.

■ *Sugestões:*

- Você está terminando a sua prova de matemática e o seu melhor amigo pede para colar.

- Você encontra no chão, em frente à igreja, uma nota de valor significativo.
- Na volta da escola, um estranho lhe oferece carona.
- Seus amigos conseguem uma lata de cerveja, abrem e começam a beber.
- Você descobre que a sua melhor amiga está com leucemia.

42 Três palavras

Um dos participantes deve escrever numa folha três palavras quaisquer (substantivos) e entregar o papel a quem está ao seu lado. Esta pessoa deve acrescentar três palavras, sem olhar as que já foram escritas, e passar adiante a folha, que irá circular até que todos tenham participado. Uma pessoa é então sorteada para receber a lista e contar uma história bíblica que inclua o maior número possível daquelas palavras.

43 Transmissão via rádio

- *Material necessário*: Aparelho para fazer gravações.
- *Procedimento*: Preparem uma transmissão radiofônica sobre um acontecimento bíblico e gravem o programa. Será interessante poder ouvi-lo mais tarde.
- *Sugestões*:
  - Transmitam o evento "ao vivo"
  - Entrevistem um dos protagonistas
  - Entrevistem pessoas que presenciaram ou ouviram falar do evento

44 Escolha

- *Material necessário*: Cartões, caixa, canetas.
- *Procedimento*: Escrevam uma variedade de tarefas em cartões (cada pessoa pode contribuir com uma sugestão) e

coloquem-nos dentro de uma caixa. Cada membro da família deve tirar um cartão e cumprir a tarefa pedida.

- *Sugestões de tarefas*:
  - Dê cinco dos dez mandamentos.
  - Cite um versículo dos Salmos.
  - Dramatize Davi matando Golias.
  - Cite em ordem os livros do Novo Testamento.

45 Livros devocionais para crianças

Talvez o método de ensino bíblico mais usado entre os pais com filhos pequenos seja a leitura de bons livros de histórias bíblicas, cheios de ilustrações, com perguntas sobre o texto e escritos num nível apropriado para a idade da criança. Recomendamos que aproveitem também as revistas e jornais evangélicos que trazem histórias bíblicas e as próprias revistas da escola dominical.

A leitura pode ser feita na hora de ir para a cama, no carro (durante viagens mais longas) ou após uma das refeições. Aproveitem para avaliar e aplicar a história sempre que oportuno.

46 DVDs

Nos últimos anos tem aumentado o número de DVDs evangélicos produzidos para crianças. Eles podem transportar seus filhos para as terras e os tempos bíblicos ou ilustrar princípios bíblicos, aplicando-os aos dias de hoje. Recomendamos que os pais assistam aos DVDs junto com as crianças, para ajudá-las a distinguir entre fatos e imaginação. Não esqueçam de comentar e aplicar aquilo que viram.

47 "Livro da família"

- *Material necessário*: Folhas de papel grampeadas de modo a formar um "livro", lápis, canetas, lápis de cor.

- *Procedimento*: Escolham um tema bíblico, um livro da Bíblia ou um assunto que estejam estudando no culto doméstico ou na igreja e escrevam um "livro da família". Ocupem as páginas com desenhos, poemas, ou outros projetos criativos que ilustrem o tema escolhido. Sua coleção de "livros" poderá incluir, por exemplo, os seguintes títulos: Coisas que Deus fez, A criação, A ressurreição, Jonas.

48 Manchetes do jornal

- *Material necessário*: Papel, caneta, dicionário bíblico.
- *Procedimento*: Escolham um evento bíblico e escrevam manchetes e artigos como se fossem repórteres produzindo matérias para um jornal da época. Recorram a um dicionário bíblico para obter informações sobre o clima, história, costumes e cultura. Usem de imaginação para recriar o ambiente e contexto daqueles dias.

Vejam no exemplo algumas manchetes de jornais da época dos eventos narrados em Gênesis 19:

Ló salvo na última hora
Sodoma e Gomorra destruídas no pior desastre desde o Dilúvio
Águas avançam e ameaçam Zoar

49 Agora é a sua vez!

Um dos membros da família deve começar a contar uma história bíblica, com expressão e fornecendo o máximo possível de detalhes. De repente ele irá interromper a narrativa e tocar em alguém à sua escolha. Este deve retomar a história e prosseguir até certo ponto, quando passará a palavra a outra pessoa. Se alguém não conseguir dar continuidade à história ou cometer algum erro, será eliminado. Continuem até terminar a história.

50 Chamada bíblica[5]

A família deve estar dividida em dois times. Um dos integrantes do primeiro time aponta para alguém do time adversário e fala uma letra do alfabeto, por exemplo, "E". A pessoa tem 30 segundos (ou um minuto se quiser) para mencionar o maior número possível de nomes próprios da Bíblia que começam com aquela letra (Ester, Esdras, Ezequias...). Alguém deve anotar os nomes mencionados. Em seguida, será a vez do outro time. Prossigam até esgotar o alfabeto. O time vencedor é aquele que alistar, no final, o maior número de nomes.

51 Corrente de personagens[6]

A família deve sentar em círculo. Uma pessoa dá início à atividade mencionando o nome de um personagem bíblico. Quem está ao seu lado deve citar o nome de outro personagem que comece com a última letra do primeiro, mas não pode repetir um nome que já tenha sido falado anteriormente. Alguém deve anotar todos os nomes que forem lembrados. Continuem enquanto puderem e numa próxima vez procurem quebrar o recorde familiar.

- *Exemplo*: Davi — Isabel — Labão — Obede — Esdras — Samuel — Lameque — Ester

52 Quem sou eu?

Um dos participantes escolhe um personagem bíblico e diz aos demais: "Estou pensando em alguém cujo nome começa com

'M'" (ou outra letra à sua escolha). A pessoa à direita deve responder levantando uma nova questão que visa revelar a identidade do personagem misterioso e que precisa ser respondida corretamente por quem deu início ao jogo, incluindo o nome do personagem. Caso erre, a pessoa que fez a pergunta dá início novamente ao jogo. O processo continua até que alguém consiga adivinhar o personagem em questão.

- *Exemplo*:
  1: "Estou pensando em alguém cujo nome começa com 'M'."
  2: "Ela foi a mãe de Jesus?"
  1: "Não, não é Maria."
  3: "ele foi o líder do êxodo do Egito?"
  1: "Não, não é Moisés."
  4: "ele viveu mais do que qualquer outro homem?"
  1: "Sim."
  4: "É Matusalém?"
  1: "Sim!"

53 Vinte perguntas

Um dos participantes escolhe um personagem bíblico. Os demais devem adivinhar de quem se trata, fazendo no máximo vinte perguntas que devem ser respondidas somente com "sim" e "não". O primeiro a descobrir a identidade correta ganha o direito de escolher o próximo personagem.

54 Dramatização

Façam uma lista de personagens ou eventos bíblicos, dando preferência àqueles que a família tem estudado recentemente no culto doméstico. Um dos membros da família deve escolher um item e representá-lo através de gestos, sem usar palavras. Os outros devem descobrir o que está sendo dramatizado. O primeiro a adivinhar ganha o direito de fazer a próxima encenação. No final de cada apresentação, compartilhem pelo menos um princípio bíblico relacionado ao personagem ou evento.

55 Ilustração

- *Material necessário*: Folhas de papel, lápis, lápis de cor.
- *Procedimento*: Enquanto um dos membros da família lê uma história bíblica, os demais ilustram algum aspecto do evento. Terminada a leitura, cada um pode explicar o que desenhou.

56 Jogos bíblicos

Para recapitular fatos e detalhes das histórias bíblicas já estudadas, a família pode programar competições. Formulem um número suficiente de perguntas e planejem brincadeiras em que, além de cumprir as tarefas exigidas, seja também necessário responder a uma pergunta bíblica para ganhar pontos. Para sugestões de brincadeiras, veja *101 ideias criativas para grupos pequenos* — Editora Hagnos.

57 Qual a ligação?

Espalhe na mesa alguns objetos pertencentes a uma história bíblica. As crianças devem adivinhar qual é a história. Depois, todos participam da narrativa, cada um responsável por introduzir um dos objetos no momento certo.

58 Como você se sente?

Um membro da família deve pensar num objeto mencionado em alguma história bíblica. Os demais podem fazer perguntas para tentar adivinhar do que se trata e qual é a história. Devem se dirigir a ele como se fosse o objeto: "Como você é?" ou "O que você está sentindo?" A primeira pessoa que conseguir adivinhar será a próxima a escolher o objeto.

- *Exemplo*:
  Se alguém escolhesse ser uma das cinco pedras que Davi pegou para lutar com Golias, algumas das respostas poderiam ser: "Sou fria, lisa, redonda"; "Sinto que estou voando".

59 Saco de objetos

- *Material necessário*: Saco plástico não transparente, objetos que constam em alguma história bíblica.
- *Procedimento*: Coloque num saco alguns objetos que são mencionados numa história bíblica. Permita que as crianças enfiem as mãos no saco para sentir os objetos por poucos segundos. Elas devem descobrir qual a história e contá-la, esforçando-se para lembrar os detalhes do fato.

60 Árvore de família

Sentados em círculo, o pai dá início mencionando o nome de um personagem bíblico. Quem está ao seu lado deve dar o nome de um outro personagem da mesma família (ex: Noemi, Rute, Boaz, Obede...). Continuem até esgotarem as possibilidades e passem então para outra família.

61 Árvore de Jessé

Esta é uma atividade para o mês de dezembro, preparando a família para o Natal. A partir do dia primeiro, diariamente estudem um dos personagens que figuram na linhagem de Jesus (veja

Mateus 1 e Lucas 3), destacando a sua importância e suas qualidades de caráter.

Para tornar a atividade mais interessante, façam enfeites natalinos tendo como tema os personagens estudados. No dia 25 de dezembro a genealogia de Jesus estará pronta, e a família terá completado a árvore de Jessé (Is 11.1).

Personagem	Referência	Importância
1. Adão	Gn 2.19—3.24	Pai da raça humana; primeiro pecado; esperança do Redentor.
2. Enoque	Gn 5.21-24	Andou com Deus.
3. Noé	Gn 6 a 8	Fé para ficar só; andou com Deus; encontrou graça.
4. Abraão	Gn 12 ss.	Fé no Deus dos impossíveis; peregrino; patriarca (pai de nações).
5. Sara	Gn 12, 18	Fé; mãe de nações; submissão.
6. Isaque	Gn 22 ss.	Submissão ao pai; patriarca.
7. Rebeca	Gn 24, 27	Mãe de Jacó e Esaú.
8. Jacó	Gn 28	Enganador e manipulador; a conquista da fé.
9. Judá	Gn 38, 49.8-12	"Leão", progenitor da linha do Messias.
10. Raabe	Js 2, 6	Fé que agiu.
11. Boaz	Rute	Bondade e fidelidade.
12. Rute	Rute	Amor leal e devoção; graça.
13. Jessé	Is 11.1; 1Sm 16	Progenitor de Davi.
14. Davi	1Sm 16	Homem segundo o coração de Deus; louvor; fé.
15. Salomão	1Rs 16.14-23	Sabedoria
16. Abias	2Cr 13	Vitória pela confiança no SENHOR.

17. Asa	2Cr 14,15	Confiança no SENHOR, seguida por fracasso.
18. Josafá	2Cr 18; 1Rs 22	Fez o que era reto perante o SENHOR.
19. Joás	2Cr 24; 2Rs 12	Reformas na casa do SENHOR.
20. Ezequias	2Cr 29—32	Confiança, oração.
21. Josias	2Cr 33—35	Buscou a Deus; reavivamento.
22. Zorobabel	Zc 4, Ag 1,2	Líder na reconstrução do Templo.
23. José	Mt 1	Homem justo, piedoso, bondoso.
24. Maria	Lc 1	Mulher humilde, piedosa.
25. Jesus	Lc 2, Mt 2	Salvador, Deus-homem.

62 Pescaria

- *Material necessário*: “Vara de pescar” (cabo de vassoura, barbante e um clipe usado como anzol) e “peixes” de papel, contendo no verso perguntas relacionadas aos estudos bíblicos que a família tem feito recentemente. Prenda um clipe em cada peixe para facilitar a pesca.
- *Procedimento*: Cada membro da família deve pescar um peixe, mas para poder ficar com ele precisa responder corretamente à pergunta que consta em seu verso. Vence quem conseguir juntar o maior número de peixes.

63 Verdadeiro ou falso

Leia alguns versículos bíblicos, inserindo, de vez em quando, uma palavra estranha ao texto. Verifique se a família consegue perceber a falsificação. Ou então, ao contar uma história bíblica já conhecida, altere algum detalhe e veja se as crianças conseguem identificar a mudança.

64 Métodos de estudo bíblico

Há diferentes métodos que podem ser aproveitados para trazer variedade e vida ao estudo bíblico familiar:

- **Método biográfico:** estudo da vida de um personagem bíblico
- **Método tópico:** estudo de um tema dentro de um livro da Bíblia ou da Bíblia inteira
- **Método sintético:** estudo panorâmico de um livro todo
- **Método analítico:** estudo detalhado de um versículo ou parágrafo

Sugerimos que os seus estudos, independentemente do método que estiverem usando, sempre incluam três passos essenciais:

Observação — o que vejo no texto
Interpretação — o que o texto significa
Aplicação — o que eu vou fazer com base no texto

65 Andando na Terra Prometida

- *Material necessário*: Mapas bíblicos, globo, atlas, fotos das terras bíblicas.
- *Procedimento*: Todos podem viajar e aprender algo sobre a geografia da Terra Prometida com o auxílio de mapas, atlas e outras ferramentas. Há também DVDs sobre o assunto que podem ser encontrados nas locadoras evangélicas e vídeos disponíveis na internet. Procurem associar eventos a lugares, perceber detalhes nas paisagens e... boa viagem!

66 Segundo domingo

- *Material necessário*: Revistas da escola dominical, boletim da igreja, trabalhos da escola dominical ou dos cultos infantis, anotações dos sermões.
- *Procedimento*: Escolham uma noite para ser o "segundo domingo" da semana. As crianças devem apresentar os trabalhos manuais feitos no último domingo e contar a história bíblica. Os pais devem fazer um breve resumo dos sermões ou de outros estudos de que participaram. Compartilhem também sobre oportunidades de ministério e outras atividades em que estiveram envolvidos no domingo. Todos os trabalhos manuais, as lições estudadas e os sermões ouvidos devem ser não só recapitulados, mas também discutidos e aplicados à realidade familiar. Terminem orando pela igreja, pelos seus líderes e para que todos possam aplicar durante a semana aquilo que aprenderam no domingo.

67 Fantoches

- *Material necessário*: Fantoches feitos pelas crianças com sacos de papel e material para trabalhos manuais.
- *Procedimento*: Escolha uma história bíblica, conte às crianças, e distribua os personagens entre os membros da família. Cada um ficará responsável por preparar um fantoche. Completada a tarefa, a família irá se reunir para encenar a história com o uso dos fantoches.

68 Dia de prova

Adquira um livro de curiosidades bíblicas ou prepare a sua própria "provinha" criativa. A atividade pode acontecer em forma de competição entre times ou individual, dependendo do tamanho da família e da idade dos participantes.

69 Perguntas e respostas

No início da reunião dê oportunidade para que cada um escreva numa folha de papel perguntas ou dúvidas que tem sobre a Bíblia, sobre um texto específico ou sobre como aplicar determinado princípio bíblico no dia a dia. Leia as perguntas e dirija um tempo de debate e de pesquisa na própria Palavra para encontrar as respostas. Se a família não chegar a conclusões satisfatórias durante o tempo do culto doméstico, continue a pesquisa mais tarde ou fale com seu pastor ou outro líder da igreja.

- *Variações:*
  - Inicie o culto doméstico com algumas perguntas provocativas sobre o tema que será estudado naquele dia. No final, repita as perguntas e confira as respostas. Será um bom método para verificar o aproveitamento.
  - Antes de iniciar o culto doméstico, comunique que no final da reunião qualquer pessoa terá o direito de dirigir uma pergunta a outro membro da família sobre a leitura bíblica ou o estudo. Todos ficarão atentos!

70 Caminhada bíblica

Todos os membros da família vão memorizar:

- Os livros da Bíblia em sua ordem certa,
- O tema (frase-chave) de cada livro,
- Um verso que resume a mensagem central de cada livro e
- Um símbolo que representa esta mensagem.

Os gráficos do Apêndice servirão de roteiro para a família.

71 Convidados de honra

De tempos em tempos, convidem um missionário em licença, um pastor ou outro obreiro cristão para compartilhar seu testemunho e ministério com a família. Todos receberão ensinos preciosos.

72 Tarefas de pesquisa

- *Material necessário*: Livros de pesquisa: dicionário bíblico, enciclopédia bíblica, comentários, concordância, atlas.
- *Procedimento*: Distribua pequenas tarefas de pesquisa, oriente seus filhos em como executá-las e peça um relatório na semana seguinte. As crianças irão aprender a manusear as ferramentas para o estudo bíblico. Aproveite as férias escolares para esta atividade.

73 Catecismo

Este método de ensino das verdades bíblicas é antigo, mas provado e aprovado. Trata-se do ensino sistemático e sério das doutrinas através de perguntas e respostas memorizadas. O catecismo evangélico mais conhecido é a Confissão de Fé de Westminster. Outra fonte para este tipo de treinamento é a declaração de fé da denominação à qual a família pertence.

74 Avaliação crítica

- *Material necessário*: Jornais, revistas, gravações de música popular, vídeos, programas de TV.
- *Procedimento*: Separem algum tempo para assistirem juntos a um programa de TV (pode ser o programa favorito de seus filhos), ouvirem música popular, lerem o jornal do dia ou uma

revista. Enquanto estiverem assistindo TV, por exemplo, cada um deve anotar observações sobre o conteúdo do programa: Este programa passa pelo "filtro" dos princípios bíblicos? É sadio? Quais valores estão sendo transmitidos? No final, todos devem compartilhar suas observações e a família irá discuti-las à luz da Palavra de Deus.

75 Sobrevivência

Comece a reunião comunicando que em breve todos estarão de partida para uma ilha deserta, sem previsão para o retorno. Dê um intervalo de dez minutos para que cada membro da família reúna numa sacola cinco itens que deseja levar consigo na viagem. Quando todos estiverem de volta, cada um deve mostrar o que escolheu e justificar. Conclua falando sobre prioridades na vida do filho de Deus.

76 Orçamento familiar

- *Material necessário*: Cem moedas ou notas (podem ser desenhadas em papel).
- *Procedimento*: O propósito desta atividade é demonstrar aos filhos de forma concreta os gastos mensais da família e ao mesmo tempo ensinar princípios bíblicos sobre finanças. Para isso, é necessário que os pais tenham um bom conhecimento das entradas e saídas mensais.

Comece por explicar alguns princípios bíblicos sobre finanças. Em seguida explique que as moedas (ou notas) representam as entradas mensais e divida-as em pequenos montes para visualizar os gastos mensais nas várias áreas (20 moedas representam os 20% gastos no aluguel, 25 representam os 25% gastos com a alimentação etc.). Este exercício leva seus filhos a perceberem melhor as pressões financeiras que a família enfrenta e será muito útil recordá-lo naquelas horas em que eles pedem doces e brinquedos no supermercado. Também ajuda a estabelecer princípios bíblicos sobre finanças que eles colocarão em prática mais tarde, no uso de seu próprio dinheiro. Finalmente, incentiva a mordomia cristã na área de finanças, salientando o senhorio de Cristo sobre tudo aquilo que temos.

Princípios bíblicos sobre finanças:

1. Deus é dono de tudo (Sl 24.1).
2. As primícias pertencem ao Senhor (Pv 3.9,10).
3. Deus pede fidelidade na mordomia dos bens, mantendo prioridades eternas sempre em vista (Mt 25.14ss.; 1Co 4.1-5; Mt 6.19-21,33).
4. As necessidades da família têm precedência sobre as necessidades de outros (1Tm 5.8).
5. As necessidades da família da fé têm precedência sobre as necessidades dos incrédulos (Gl 6.10).
6. Deus cuida das necessidades dos seus filhos que são fiéis na contribuição (Fp 4.19; 2Co 9.7-11).
7. O homem sábio prepara-se para o futuro, poupando o suficiente para cuidar das necessidades da sua família (Pv 13.22).
8. A família que ama a Deus é generosa no repartir dos seus bens para socorrer os necessitados (Sl 112.4,5; Pv 31.20; Gl 6.10).

77 Orçamento dos filhos

- *Material necessário*: Moedas ou notas (podem ser desenhadas em papel) em quantidade suficiente para cada filho, papel, canetas, envelopes.

- *Procedimento*: Uma vez esclarecidos os princípios sobre finanças e apresentado o orçamento familiar, os pais devem ajudar seus filhos a montar o próprio orçamento. Novamente as moedas representam as entradas mensais, só que desta vez as entradas de cada filho. (Sugerimos que cada filho receba alguma quantia mensal, mesmo que pequena, para que aprenda a se disciplinar nesta área. Pequenas tarefas em casa podem dar direito a esta quantia.) Cada filho precisa decidir as porcentagens que ele quer destinar para as diferentes áreas do seu orçamento. Para crianças pequenas que ainda não têm gastos com divertimentos, roupas ou saídas com a "turma", sugerimos um orçamento bem simples, com três ou quatro áreas: dízimo/oferta, missões, poupança e gastos. Usem um envelope para cada área e "depositem" ali a quantia correspondente. Em nossa família costumávamos separar a quantia de dízimo/ofertas da de missões para encorajar nossos filhos a terem desde cedo um envolvimento pessoal com missões.

Sugestões para divisão das quantias nas diferentes áreas:

Categoria	Porcentagens		
Dízimos/Ofertas	15	10	20
Missões	10	5	10
Poupança	25	25	20
Gastos	50	60	50

78 Boas maneiras

"Boas maneiras" são um tema especial para o treinamento familiar. São relevantes para o cristão que deseja dar um bom testemunho, e o seu objetivo é que todos aprendam a se portar de modo oportuno em todo e qualquer contexto social. Crianças terão maiores oportunidades de serem ouvidas em certos círculos se souberem se comportar adequadamente. Na verdade, boas maneiras nada mais são do que a expressão bíblica e prática de Filipenses 2.3,4: *Não façais nada por rivalidade nem por orgulho, mas com humildade, e assim cada um considere os outros superiores a si mesmo. Cada um não se preocupe somente com o que é seu, mas também com o que é dos outros.*

Sugerimos que, de vez em quando, os pais marquem uma refeição "cinco estrelas". Durante esta refeição, os filhos devem ser instruídos sobre o que significam "boas maneiras". Quanto mais os pais puderem modelar, melhor! Podem criar competições com prêmios para quem melhor se comportar ao redor da mesa.

Esta mesma ideia pode ser aplicada em outros aspectos da vida do lar. Palavras de apreciação e cortesia — por favor, obrigado, você primeiro, com licença, desculpe-me etc. — devem ser ensinadas e praticadas. Um pouco de repetição resultará em hábitos agradáveis a todos. Se os pais se sentirem inseguros para transmitir "boas maneiras" aceitas pela sociedade, podem convidar alguém mais instruído neste assunto para dar sugestões quanto ao que ensinar às crianças e como. É possível também recorrer a bons livros sobre o assunto.

79 Concílio de família

No decorrer do ano, promovam reuniões mais importantes para tratar dos "negócios de família" — assuntos mais sérios — e/ou tomar decisões que afetem todos os membros da família. O pai deve presidir. A reunião irá começar e terminar com oração e será objetiva, mesmo que o assunto a tratar seja difícil.

Algumas regras básicas que devem ser observadas:

- A opinião de cada membro deve ser ouvida com respeito.
- Ninguém pode interromper quando outra pessoa está com a palavra.
- Ninguém pode levantar a voz.
- Os princípios bíblicos relacionados ao assunto serão procurados e aplicados.
- No caso de votação, os pais decidem sobre o peso de cada voto e se a decisão exige ou não unanimidade.

Assuntos que podem ser tratados no "concílio de família":

- Onde passar as férias
- Problemas de relacionamento
- Decisões financeiras (compras etc.)
- Regras e princípios para o namoro
- Mudanças de emprego, casa ou igreja

parte 4

Missão

80 Declaração da missão familiar

- *Material necessário*: Papel e caneta.
- *Procedimento*: Assim como as empresas e instituições, a família também pode declarar sua "razão de existir" ou "missão familiar". Esta declaração deve incluir o propósito da família, resumido em uma frase, e objetivos específicos a serem alcançados. A declaração pode incluir também alvos concretos para um, cinco e dez anos. Esta atividade exige um tempo significativo de conversa para que possam chegar a um consenso.
- *Exemplo*:

Propósito da família Silva

Temos como propósito glorificar a Deus por meio da conversão de cada membro da nossa família e do uso dos nossos dons espirituais a serviço de Jesus no contexto da nossa igreja.

Objetivos

1. Conversão de cada membro da família.
2. Descoberta do dom ou dons espirituais de cada um.
3. Envolvimento pessoal de cada membro da família em algum ministério da igreja.

4. Treinamento/aperfeiçoamento de cada um nas seguintes áreas:
   - Conhecimento bíblico (panorama bíblico, doutrinas básicas etc.),
   - Conduta cristã (vida de acordo com os princípios da Palavra) e
   - Experiência em vários ministérios no corpo de Cristo.

5. Hábitos de vida formados por convicção, e não legalismo:
   - Hora silenciosa (tempo a sós na Palavra),
   - Contribuição para a obra do SENHOR,
   - Diligência e integridade no trabalho e
   - Comunicação direta.

6. Uso da casa como abrigo para os membros da família, e centro de evangelização e edificação para os amigos e vizinhos:
   - Hospitalidade (receber visitas em média uma vez por mês),
   - Hospedagem para obreiros itinerantes e
   - *Playground* para as crianças da vizinhança.

Alvos familiares — 1 ano

1. Realizar o culto doméstico cinco dias por semana.
2. "Adotar" um missionário, contribuir no seu sustento e manter contato por correspondência a cada três meses.
3. Ler a série *Crônicas de Nárnia*, por C. S. Lewis.
4. Contribuir com 12% de nossas entradas para a obra do SENHOR.

Alvos familiares — 5 anos

1. Ler juntos a Bíblia inteira.
2. Visitar e ministrar juntos num campo missionário durante as férias.

3. Contribuir com 17% de nossas entradas para a obra do Senhor.
4. "Adotar" três missionários.
5. Estudar o livro de Provérbios.
6. Realizar um "concílio familiar" pelo menos duas vezes ao ano.
7. Ler juntos três livros evangélicos ao ano.

Alvos familiares — 10 anos

1. Estabelecer um "pacto familiar" que inclua padrões de namoro, noivado e casamento, e expectativas de testemunho cristão por parte de todos os membros da família.
2. Contribuir com 20% de nossas entradas para a obra do Senhor.
3. Realizar um "concílio familiar" mensal.

81 Oferta familiar

Como parte de uma campanha de missões ou outro projeto da igreja, decidam renunciar por algum tempo a determinado prazer (passeio, sorvete etc.) e entregar o dinheiro poupado como oferta da família.

Providenciem um "banco" familiar — uma caixa ou lata com uma fenda, onde todos vão depositar trocos, moedas ou outro dinheiro conforme a disposição pessoal. O dinheiro poupado deve ser entregue na igreja em nome da família ou pode ser designado para algum projeto específico (sacos de cimento para a construção, passagem para um missionário etc.). O importante é que todos participem da entrega.

Uma ou duas vezes ao ano, separem roupas usadas, brinquedos e outros objetos para dar aos necessitados.

82 Projeto adoção

Adotem um missionário sustentado pela sua igreja ou conhecido da família. Entrem em contato periodicamente, convidem-no para tomar uma refeição com vocês ou para se hospedar em sua casa durante o período de divulgação. A família pode também participar do sustento financeiro e até as crianças podem ajudar fazendo pequenas tarefas de casa, preparando e vendendo doces na vizinhança.

83 Caixa de surpresas

Escolham uma caixa que possa ser despachada pelo correio (consultem a agência local), não muito grande, mas que possa acomodar pequenos objetos que serão enviados a um missionário. Verifiquem no correio as limitações de peso e outras leis de alfândega, conforme o país de destino. Escolham itens de que o missionário não pode dispor em seu local de trabalho. Uma boa medida é escrever primeiro a ele, perguntando-lhe quais são as suas necessidades e os seus desejos. Cada membro da família pode participar na escolha, na compra ou eventual confecção dos itens que serão colocados na caixa.

84 Noite de encorajamento

- *Material necessário*: Papel e/ou cartolina, lápis, canetas, lápis de cor, outros materiais para trabalhos manuais.
- *Procedimento*: Reúnam-se para preparar cartões de encorajamento para outras pessoas, como, por exemplo, líderes da igreja, enfermos, parentes, amigos, idosos, viúvas. Os cartões podem ser entregues pessoalmente ou enviados pelo correio.

85 Noite dos presentes

Separem uma noite para fazer presentes para pessoas da sua igreja especialmente necessitadas: viúvas, jovens que trabalham ou estudam longe de casa, órfãos etc. Façam bolos, doces, pequenas lembranças. Toda a família pode participar da visita para a entrega do presente.

86 Visitas especiais

De tempos em tempos, separem um dia para visitar e encorajar pessoas carentes e/ou conhecer instituições como hospitais, asilos, orfanatos, campos missionários. Quando apropriado, preparem um pequeno culto, com músicas, testemunhos e leitura bíblica. Levem cartões ou outros pequenos presentes feitos pelos membros da família.

87 Presente para Jesus

- *Material necessário*: Uma caixa embrulhada e enfeitada para presente, com uma abertura para depositar ofertas.
- *Procedimento*: Durante o mês de dezembro, coloquem a caixa debaixo de uma árvore de Natal ou em outro lugar de destaque na casa e chamem-na de "Presente para Jesus". Cada membro da família deve se comprometer a depositar ali o valor correspondente a uma percentagem dos seus gastos com presentes de Natal. Antes de abrir os demais presentes, abram o "Presente para Jesus" e decidam a quem irão dar a quantia arrecadada. Como parte da celebração de Natal, podem preparar um bolo de aniversário para Jesus e cantar parabéns a ele.

88 Noite internacional

Escolham um país ou grupo étnico e planejem uma noite especial para focalizar nele toda a sua atenção. Improvisem trajes típicos, preparem comidas características da região, cantem músicas e decorem pelo menos um versículo na língua local. Leiam informações sobre o país, consultando enciclopédias ou revistas geográficas. Se possível, providenciem documentários geográficos em vídeo. Terminem orando pelo país e pelos missionários que trabalham naquele campo.

89 Sobremesa selada

- *Material necessário*: Papel de carta, canetas, lápis, lápis de cor e uma sobremesa especial.
- *Procedimentos*: Após a refeição, distribua papel de carta e material para que cada um escreva a alguém conforme sua indicação (pode ser uma pessoa idosa, um missionário, etc.). As crianças menores podem fazer desenhos. Ninguém irá comer a sobremesa antes de terminar a sua "sobremesa selada".

parte 5

Memoriais

90 Cápsula do tempo

- *Material necessário*: Vidro bem lavado, lembranças de eventos marcantes do ano (fotos, moedas, selos comemorativos, etc.), registro dos momentos alegres e tristes, lista de respostas de oração.
- *Procedimento*: Colecione vários "memoriais" durante o ano todo. No final do ano, junte-os aos alvos para o ano seguinte e pedidos de oração, e coloque tudo numa "cápsula do tempo". Cole no vidro uma etiqueta com a data e enterre no quintal ou guarde num lugar especial da casa. No final do ano seguinte, desenterre a cápsula para relembrar com a família a fidelidade de Deus e os eventos especiais ali registrados.

91 Os bons tempos

De tempos em tempos, os pais podem contar a história da sua vida. Eventos marcantes, como conversão, dedicação de vida, escolhas decisivas, crises, devem ser enfatizados, destacando-se as lições aprendidas, a presença e a providência de Deus.

Álbuns de fotos e outras lembranças podem ajudar a memória. As crianças devem ser encorajadas a fazer perguntas.

92 Gravações e filmagens

- *Material necessário*: Aparelho para filmar e/ou gravar.
- *Procedimento*: Este memorial pode ser preparado anualmente e numa mesma época do ano, por exemplo, na semana entre o Natal e o Ano Novo. Cada membro da família deve ser filmado/gravado. Incluam testemunhos sobre as dificuldades e vitórias do ano, bênçãos recebidas, músicas, versículos bíblicos. Sugerimos que gravem também outros momentos especiais do ano e particularmente o testemunho das crianças logo após a sua conversão. As gravações e filmagens são especialmente preciosas para observar o crescimento de cada filho. Devem ser arquivadas (pelo menos duas cópias) para a posteridade.

93 Despedida dos filhos

Quando um dos filhos estiver saindo de casa pela primeira vez por motivo de estudo, trabalho ou até mesmo casamento, planejem uma série de refeições especiais, preparadas pelos diferentes membros da família, incluindo os pratos prediletos do homenageado. Na ocasião, deve haver oportunidade para encorajamento e desafio, e também para entrega de lembranças.

94 Recordações dos avós

- *Material necessário*: Aparelho para filmar e/ou gravar.
- *Procedimento*: Convidem os avós para uma noite especial de histórias e entrevistas. As perguntas devem ser preparadas

com antecedência. O programa deve ser gravado e guardado num "arquivo familiar".

Perguntas que as crianças podem fazer:

- Falem sobre seus pais, irmãos e irmãs.
- Como eram os meios de transporte quando vocês eram crianças?
- Como foi que vocês se conheceram?
- Que igreja frequentavam na adolescência? Como eram os cultos?
- Como vocês se converteram?
- Qual foi o momento mais alegre da sua vida? E o mais triste?
- Qual foi o maior susto que já levaram?
- Como eram os nossos pais quando crianças?

95 Árvore genealógica

Pesquisem os dados das famílias materna e paterna — nomes dos parentes, datas de nascimento, casamento, filhos, falecimento, e também histórias pessoais, trabalho, qualidades. Esforcem-se para coletar dados a partir, no mínimo, dos bisavós. Reúnam-se para traçar a genealogia da família e deixá-la registrada. Incluam fotos, se possível. Aproveitem para destacar qualidades de caráter e agradecer a Deus por esta herança.

96 Enfeites de Natal

Enfeitar a árvore de Natal também pode ser uma atividade familiar e os enfeites podem ser preparados sem muitas despesas. Cada membro da família participa confeccionando um enfeite que represente algum princípio bíblico aprendido durante o ano ou algum evento que foi marcante em sua vida. Não deixem de registrar em cada enfeite a data e um versículo à escolha da pessoa. A cada ano, acrescentem novos enfeites, mas continuem a pendurar na árvore também aqueles dos anos anteriores, aproveitando para relembrar seu significado.

97 Colagem

- *Material necessário*: Fotos, ilustrações de revistas, manchetes de jornais.
- *Procedimento*: Montem um quadro que resuma e ilustre um ano ou um período especial na vida da família. Guardem como lembrança.

98 Livro de autógrafos

- *Material necessário*: Álbum ou caderno de capa dura.
- *Procedimento*: Encoraje seus filhos a começarem uma coleção de "heróis evangélicos". Registrem no álbum nomes de missionários, pastores e outros servos do SENHOR que visitaram a sua família ou que a influenciaram particularmente. Anotem aspectos do testemunho de cada um, dados pessoais e o autógrafo. O álbum pode servir como diário de oração.
- *Exemplos de dados que podem colher*: Nome, data de aniversário, nacionalidade, data da conversão, chamado, dons espirituais, ministério, anos de trabalho.

99 Aniversários espirituais

Aproveitem o culto doméstico para comemorar os aniversários espirituais. As pessoas que lembram a data da sua conversão devem tê-la registrada na agenda familiar. Aqueles que não sabem a data exata não devem se sentir "cidadãos de segunda classe", pois podem escolher uma data pessoal que servirá a cada ano como dia do seu aniversário espiritual. Na comemoração, cantem parabéns, compartilhem sobre as qualidades e os dons do aniversariante, concluam com um bolo e velas representando o seu número de anos como cristão.

100 Edificando o lar

- *Material necessário*: Caixas de fósforo vazias, papel colorido, cola, canetas, tiras de papel (3x10 cm), palitos.
- *Procedimento*: Construam o seu "lar" conforme o desenho abaixo. As caixinhas devem ser forradas de papel colorido e numeradas, cada uma representando um ano do casamento. Dentro de cada caixinha, coloquem rolos feitos com as tiras de papel e os palitos. Nos rolos devem ser registradas as lembranças do ano — eventos especiais, envolvimentos ministeriais, férias e viagens, momentos alegres e tristes, versículos marcantes. Sugerimos que preencham um rolo anualmente, por ocasião da comemoração do aniversário de casamento. Este "lar" é o testemunho da fidelidade de Deus em suas vidas e uma herança preciosa.

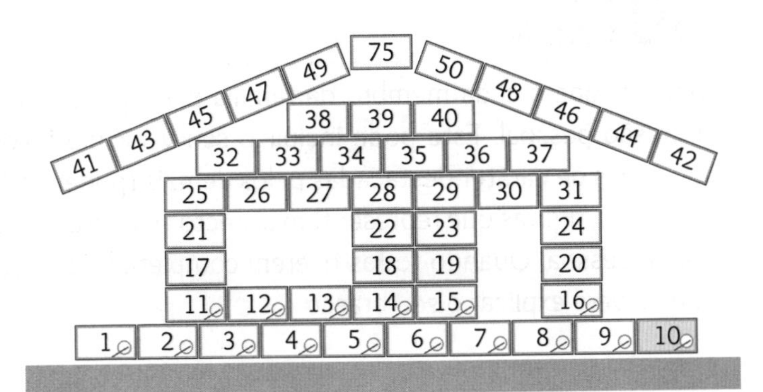

PROVISÃO DE DEUS

Crises: ____

____

Nascimentos: ____

Falecimentos: ____

Envolvimentos ministeriais: ______________________________

____

Férias e viagens: ______________________________________

____

Momento mais alegre: __________________________________

____

Momento mais triste: ___________________________________

____

Palavra que caracteriza o ano: ___________________________

101 Brasão

Dê oportunidade a cada membro da família para que desenhe o seu brasão pessoal. Este pode incluir o seu versículo favorito, qualidades de caráter destacadas pelos demais (podem criar um acróstico), figuras que representam aspectos característicos da vida da pessoa. Quando todos tiverem completado a tarefa, cada um deverá explicar o seu brasão.

Conclusão

O dr. Howard Hendricks conta a história do pregador inglês Richard Baxter. Durante três anos este homem altamente capacitado por Deus pregou de todo o seu coração a um povo rico e sofisticado, mas sem resultados visíveis. Finalmente, Baxter clamou a Deus: "SENHOR, faça algo por este povo ou então eu morro."

Conforme relato do próprio pregador, foi como se Deus tivesse respondido em voz bem alta e recomendado a ele: "Baxter, você está trabalhando no lugar errado. Está esperando que o avivamento venha através da igreja. Tente pelo lar." Baxter começou a visitar os lares, ajudando famílias a organizarem um "altar familiar", até que o Espírito Santo ateou fogo naquela congregação e fez dela uma igreja forte.[7]

Andamos preocupados em nossos dias com "avivamento" e "reavivamento". Mas será que estamos esperando que a igreja faça aquilo que deve ter início no lar? Será que estamos trabalhando no lugar errado, como se uma "experiência emocional" nos desse espiritualidade instantânea? Ou será que o verdadeiro avivamento virá através do esforço de pais dedicados ao treinamento espiritual dos filhos no contexto do lar?

Que Deus nos dê pais comprometidos em promover um avivamento que comece no lar cristão e de lá se espalhe para toda a igreja brasileira, chegando até os confins da terra. Que este livro lhe sirva de estímulo.

Apêndices

CARACTERÍSTICAS DA CRIANÇA POR FAIXA ETÁRIA E ESTRATÉGIAS PARA O CULTO DOMÉSTICO

Cada criança é única. Seria impossível "encaixar" todas elas em um gráfico geral. Nosso objetivo é despertar os pais para algumas características típicas das diferentes faixas etárias e oferecer sugestões práticas. Aconselhamos que não se limitem a este gráfico, mas observem e descubram as características próprias dos seus filhos.

Idade 0 —1

Aos poucos torna-se consciente do ambiente ao seu redor, focaliza os olhos e responde a estímulos.

- *Material adequado*: Uso de fotos coloridas e grandes. Repetição de versinhos e cânticos simples.

Idade 1 — 2 anos

Começa a entender a existência contínua de objetos não presentes e a relação causa/efeito.

- *Material adequado*: Uso de livros com figuras grandes, uma por página, e que a criança possa manusear.
  Repetição de versos e cânticos simples, com gestos, mas sem fazer esforço para que ela os repita.

Idade 2 — 3 anos

Fluência verbal. Por iniciativa própria, começa a repetir frases memorizadas, versículos, cânticos, fatos. A imaginação começa a se desenvolver. A concentração é curta, dois ou três minutos de cada vez. Pode concentrar-se numa só ideia por vez e focaliza uma imagem apenas. Descobre o ambiente imediato e começa a descobrir a si mesma.

- *Material adequado*: Uso de livros que a criança possa "ler" sozinha e que estimulem a sua imaginação. Ensino bem simples e repetido, uma ideia por vez. Repetição das mesmas histórias curtas várias vezes.

Idade 3 — 4 anos

Maior desenvolvimento da imaginação e da fluência verbal. Curiosidade — "Por quê?" Independente, explora mais as atividades em grupo. Começa a estar ciente dos problemas do mundo "real".

- *Material adequado*: Uso de histórias mais compridas e envolventes, versos sem rima, cânticos variados.

Idade 4 — 5 anos

Pode fixar a atenção de 4 a 10 minutos. Tem interesse nas atividades dos outros e em manter uma conversa. sua imaginação é ativa, mas não tem muita noção de tempo e espaço. Consegue repetir as histórias que ouviu. Já pode distinguir entre o certo e o errado. Algumas começam a ler e a contar.

- *Material adequado*: Uso de flanelógrafo, fantoches e dramatização geral. As histórias podem ser repetidas menos vezes. Introdução de uma variedade de livros e ilustrações mais detalhadas, e de livros sobre lugares, pessoas e animais desconhecidos.

Idade 5 — 6 anos

Desenvolve sociabilidade e interesse no mundo ao seu redor. Memoriza e recita versos. Gosta de atividades participativas.

- *Material adequado*: Leitura de livros em "série". Dramatização de histórias bíblicas, incentivo aos trabalhos manuais, canto e uso de instrumentos simples.

Idade 6 — 8 anos

Gosta de se identificar com personagens e imitá-los. Consegue manter-se atenta por até 20 minutos. Tem boa memória, muita imaginação e raciocínio verbal. É criativa, ativa, responsável.

- *Material adequado*: Atividades que exijam participação ativa (charadas, fantoches, dramatizações, brincadeiras com palavras e números...). Leitura de histórias de personagens com os quais possa se identificar. Memorização de versículos. Responsabilidade na direção do culto doméstico, de vez em quando.

Idade 9 — 11 anos

Ganha coordenação motora. É ativa, participativa, competitiva. Possui raciocínio lógico, ótima capacidade de memorização. Seus talentos estão em desenvolvimento.

- *Material adequado*: Uso de dramatizações, concursos bíblicos, charadas, álbuns e coleções, desafios em geral, memorização de versículos, trabalhos manuais detalhados. As histórias devem ter aplicações práticas. Envolvimento em ministério com a família.

Idade 12 — 14 anos

Passa por períodos alternados de energia e grande cansaço. Espírito prático, desafiador e aventureiro — gosta de explorar o mundo e testar os seus limites. Recebe grande influência dos colegas.

- *Material adequado*: Desafios no estudo bíblico (perguntas, pesquisas). Leitura de biografias. Contato com ministérios que desafiem e confrontem com a realidade. Conversa aberta, segura, honesta. Ênfase na importância de fazer escolhas de acordo com os princípios bíblicos. Responsabilidade mais frequente na direção do culto doméstico.

Idade 15 — 18 anos

Espírito crítico, prático, aventureiro. É capaz, responsável, independente, mas com tendências eventuais à insegurança e introspecção.

- *Material adequado*: Estudo de doutrinas com aplicação prática. Diálogo franco e estudos sobre sua posição em Cristo, a escolha do parceiro e da profissão. Responsabilidade em ministério prático e participação em viagens missionárias.

PANORAMA BÍBLICO

O Antigo Testamento

LIVROS HISTÓRICOS

Livro	Versículos-chave	Frase-chave	Verso
Gênesis	12.1-3	Começos	Em Gênesis tudo começou, E Abraão Deus abençoou.
Êxodo	19.4-6	Saindo do Egito	Com Êxodo vem redenção, E leis para santificação.
Levítico	20.7,8	Santidade	Como viver na presença de Deus? Levítico dá leis aos judeus.
Números	14.22,23	Andando no deserto	Em Números o povo anda, Por não crer no que Deus manda.
Deuteronômio	6.4,5	"Lembrem-se da aliança"	Deuteronômio diz aos judeus: "Lembrem-se da aliança com Deus".
Josué	1.8	Vitória	Em Josué a vitória vem, E cada tribo sua terra tem.
Juízes	21.25	Ciclos de falhas	Em Juízes o povo esqueceu a lei, E o homem se tornou seu próprio rei.
Rute	1.16	Amor fiel	Mas Rute mostra uma história bonita: Amor fiel de uma moabita.
1,2Samuel	1Sm 15.22	Reino estabelecido	Em Samuel o povo reclama, e Deus lhes dá dois reis de fama.
1,2Reis	1Rs 11.11	Reino dividido, reino cativo	Reis descrevem o reino dividido, E cada país, no exílio, cativo.

1,2 Crônicas	2Cr 7.14	Judá e o templo	Crônicas conta a mesma história, Enfatizando o templo e sua glória.
Esdras	1.3	Construindo o templo	Esdras fala em restauração: Primeiro o templo, depois a nação.
Neemias	8.9	Construindo o muro	O muro Neemias edificou, E a aliança com Deus renovou.
Ester	4.14	Providência de Deus	Ester revela o protetor, Que guarda o seu povo como Salvador.

LIVROS POÉTICOS

Livro	Versículos-chave	Frase-chave	Verso
Jó	42.5,6	Por que o justo sofre?	A dor em Jó dúvida produz, Até que de Deus surge a luz.
Salmos	19.14	Hinário de Israel	Os Salmos cantam meditações, Gratidão, louvor e lamentações.
Provérbios	1.7; 9.10	Sabedoria	Provérbios dá o segredo da alegria: "O temor do SENHOR" é a sabedoria.
Eclesiastes	12.13,14	O significado da vida	"Somente Deus transforma a vaidade", Eclesiastes afirma em verdade.
Cantares	8.7	Amor no casamento	O amor real, descrito em Cantares, Deve estar em todos os lares.

LIVROS PROFÉTICOS

Livro	Versículos-chave	Frase-chave	Verso
Isaías	40.1,20	Sofrimento do servo do Senhor	Depois de dura condenação, Isaías vê grande salvação.
Jeremias	1.10	Rendição	Em Jeremias, rendição, É o recado de Deus à nação.
Lamentações	2.5,6	Destruição de Jerusalém	Lamentações chora pela cidade, Destruída por sua iniquidade.
Ezequiel	36.33-35	Exílio e restauração	Em Ezequiel, o povo exilado, Vai algum dia ser restaurado.
Daniel	4.34,35	Soberania de Deus	Daniel aponta ao Deus soberano, Regendo reis e tempo em seu plano.
Oseias	4.1	Lealdade de Deus	Oseias demonstra amor real, Por Israel, de um Deus leal.
Joel	2.11	O Dia do Senhor	Como grilos e seca causam temor, Joel vê castigo no Dia do Senhor.
Amós	4.12	Falsidade	Amós previne a calamidade, Mandada por Deus contra a falsidade.
Obadias	18	Julgamento contra Edom	Em Obadias o julgamento é dado: O fim de Edom está decretado.
Jonas	4.2	Compaixão para Nínive	Depois da primeira e segunda comissão, Jonas se curva à divina compaixão.

Miqueias	6.8	Equidade	Miqueias exorta a sua comunidade. À troca do mal por equidade.
Naum	3.5-7	Execução de Nínive	Naum proclama a execução, Nínive morre sem compaixão.
Habacuque	2.4	Vida pela fé	Habacuque ora em submissão, E prova pela fé que Deus tem razão.
Sofonias	1.14,15	O Dia do Senhor	Em Sofonias, a condenação Termina em restauração.
Ageu	1.7,8	Construção do templo	A obra do templo começa de novo, Quando Ageu reprova seu povo.
Zacarias	9.9	O Messias e o templo	"Completem o templo para o Messias", É a mensagem de Zacarias.
Malaquias	4.5,6	Interrogação	De Malaquias vem interrogação, Pois culpa de novo tem a nação.

O Novo Testamento

LIVROS HISTÓRICOS

Livro	Versículos-chave	Frase-chave	Verso
Mateus	28.18-20	Cristo, o rei	O Messias em Mateus é rejeitado, Rei sem o reino, como foi profetizado.
Marcos	10.45	Cristo, o servo, Filho de Deus	Cristo em Marcos é o servo humilhado, Que deu a vida para eu ser libertado.

Lucas	19.10	Cristo, o Filho do homem	Em Lucas, Jesus é o Filho nascido, Que busca e salva o homem perdido.
João	20.31	Cristo, o Cordeiro de Deus	João aponta o Cordeiro de Deus, Que tira o pecado de gentios e judeus.
Atos	1.8	Expansão do evangelho	Em Atos o Espírito espalha salvação, Dos judeus aos povos de toda nação.

EPÍSTOLAS PAULINAS

Livro	Versículos-chave	Frase-chave	Verso
Romanos	12.1,2	Justificação pela fé	Estando eu perdido no pecado, Romanos me mostra como ser justificado.
1Coríntios	3.16,17	Divisões na igreja	A primeira aos Coríntios traz admoestação Contra impureza, desordem e divisão.
2Coríntios	3.5,6	A defesa de Paulo	A segunda aos Coríntios defende a posição Do apóstolo escolhido após a ressurreição.
Gálatas	5.1	Liberdade em Cristo	Gálatas proclama liberdade do pecado. Pela graça, nunca lei, como outros têm pensado.

Efésios	4.1	Andando em Cristo	“Andar de modo digno da nossa vocação”: Efésios exalta nossa alta posição.
Filipenses	4.4	Alegria	Filipenses louva a fé que nos faz regozijar, Mas exige humildade para com todos demonstrar.
Colossenses	3.1,2	A primazia de Cristo	Colossenses mostra Cristo na sua primazia, E combate o começo duma nova heresia.
1Tessalonicenses	4.1	Crescendo na vida cristã	Os tessalonicenses, na epístola primeira, São motivados a mostrar santidade verdadeira.
2Tessalonicenses	2.1,2	O Dia do Senhor	Tessalonicenses, a segunda carta escrita, O Dia do Senhor e consequências explica.
1Timóteo	3.15	Procedimento na casa do Senhor	A primeira a Timóteo exige ordem boa, Na igreja e dos ministros, para nada ser à toa.
2Timóteo	1.8	A despedida de Paulo	A segunda a Timóteo dá o grito de guerra: “Proclama o Cristo em toda a terra”.
Tito	1.5	Ordem na igreja	A de Tito foi escrita para dar às igrejas novas Um padrão de bons pastores, sã doutrina e boas obras.

Filemom	16,17	Perdão	Filemom perdeu um inútil escravo, Mas todos ganharam quando ele foi salvo.

EPÍSTOLAS GERAIS E APOCALIPSE

Livro	Versículos-chave	Frase-chave	Verso
Hebreus	12.1,2	Supremacia de Cristo	Cristo é supremo no livro de Hebreus, Como rei, sacerdote e Filho de Deus.
Tiago	2.17	Provas de uma fé genuína	Tiago descreve uma fé genuína, Que ouve e age, não fica na surdina.
1Pedro	4.12,13	Sofrimento e consolação	A primeira de Pedro consola os crentes, Que sofrem por Cristo, mesmo inocentes.
2Pedro	3.18	Combate aos falsos mestres	A segunda de Pedro chama a atenção: Os falsos mestres merecem perdição.
1João	1.3,4	Comunhão e confiança	Amor, segurança e comunhão, São os temas da primeira de João.
2João	9,10	Verdade e falsos mestres	O amor verdadeiro, na segunda de João, Rejeita a mentira, abraça o irmão.
3João	11	Hospitalidade	A terceira de João condena o egoísmo E louva a bondade e o altruísmo.

Judas	3	Batalha pela fé	Em Judas a batalha pela fé preciosa É dos crentes com doutrina valiosa.
Apocalipse	1.19	Consumação	Apocalipse traz julgamento e salvação E tudo renovado numa nova criação.

PERGUNTAS E RESPOSTAS
sobre a vida eterna

Você sabia que Deus o ama e quer dar
a você uma vida abundante e eterna?

- **Como posso saber que Deus me ama?**
  A Bíblia diz:

  Porque Deus amou tanto o mundo, que deu o seu Filho unigênito, para que todo aquele que nele crê não pereça, mas tenha a vida eterna (Jo 3.16).

  E Jesus falou:

  Eu vim para que tenham vida, e a tenham com plenitude (Jo 10.10b).

- **Por que a maioria das pessoas não experimenta esse amor e vida abundante?**
  A raça humana está separada de Deus porque todo homem é pecador e merece a morte eterna.

  Mas as vossas maldades fazem separação entre vós e o vosso Deus; e os vossos pecados esconderam o seu rosto de vós, de modo que não vos ouve (Is 59.2).

  [...] *o salário do pecado é a morte* (Rm 6.23).

- **Qual é a solução?**
  Já que é impossível livrarmo-nos do pecado por nosso próprio esforço, Jesus veio ao mundo "pagar o preço do pecado" por nós. O sangue de Cristo derramado na cruz foi o preço pago pelos nossos pecados. Agora podemos nos achegar a Deus através de Cristo, pois com a sua morte e ressurreição ele derrubou a barreira do pecado.

> [...] *Cristo morreu pelos nossos pecados* [...] *e ressuscitou ao terceiro dia* (1Co 15.3,4).
> *Jesus lhe respondeu: Eu sou o caminho, a verdade, a vida; ninguém chega ao Pai, a não ser por mim* (Jo 14.6).

- **O que eu preciso fazer?**
A salvação é um presente, e presente é dado de graça! Não se paga nada por ele!
A Bíblia diz:

> *Porque pela graça sois salvos, por meio da fé, e isto não vem de vós, é dom de Deus; não vem das obras, para que ninguém se orgulhe* (Ef 2.8,9).

Receba o SENHOR Jesus Cristo mediante o arrependimento e a fé. Ou seja, reconheça que você é pecador e que está separado de Deus, e admita que precisa da ajuda de Deus para resolver o problema do seu pecado. Confie em Jesus como seu Salvador pessoal, expressando que depende dele para o perdão dos pecados.

- **Quando vou poder receber a salvação?**
Agora!

> [...] *Agora é o tempo aceitável, agora é o dia da salvação* (2Co 6.2b).

Uma oração sugerida:

> SENHOR Jesus, obrigado porque tu me amas apesar de eu ser um pecador. Creio agora que morreste por mim e que ressuscitaste dos mortos. Perdoa, por favor, os meus pecados. Eu confio em ti como meu Salvador e SENHOR. Ajuda-me a deixar os meus pecados e viver para ti. Obrigado pela nova vida que me deste.

- **Agora, depois de receber a Cristo, qual é a promessa de Deus para mim?**

  Quem que tem o Filho tem a vida; quem não tem o Filho de Deus não tem a vida. Eu vos escrevo essas coisas, a vós que credes no nome do Filho de Deus, para que saibais que tendes a vida eterna (1Jo 5.12,13).

De acordo com a Bíblia, você recebeu a vida eterna no instante em que aceitou a Cristo como seu Salvador pessoal. Não confie em suas emoções, porque elas mudarão. Quando tiver dúvidas, releia as passagens bíblicas escritas aqui. Você pode dizer com confiança: "Recebi a Cristo como meu Salvador pessoal. Com base na autoridade da Palavra de Deus, agora tenho a vida eterna."

- Data da minha decisão: ___ / ___ / ___

Notas

[1] Citado por Donald Martin em *The Value of Family Worship*. Rosemead, CA: Narramore Christian Foundation, 1978. p.4,5.

[2] HENDRICKS, Howard G. *Adoração em estilo familiar*. Em: *Filhos precisam de pais*. São Paulo : Fiel, 1980. p.36.

[3] Adaptado de Paul Lewis, *Thirty Ideas for Husbands and Fathers*. Colorado Springs, CO: Focus on the Family, 1982.

[4] Gloria Gaither & Shirley Dobson. *Let's Make a Memory*. Waco, TX: Word Books, 1983. p.118.

[5] Adaptado de *Jogos e passatempos bíblicos*. 9. ed. Rio de Janeiro: JUERP, 1988. p.37.

[6] Adaptado de *Jogos e passatempos bíblicos*. 9. ed. Rio de Janeiro: JUERP, 1988. p.53.

[7] HENDRICKS, Howard G. *Heaven Help the Home*. Wheaton, IL: Victor Books, 1973. p.87,88.

[8] Adaptado de material não publicado do Departamento de Pedagogia do Cedarville College. Cedarville, OH, 1980.

Sua opinião é importante
para nós. Por gentileza, envie
seus comentários pelo *e-mail*
editorial@hagnos.com.br

Visite nosso *site*: www.hagnos.com.br

Esta obra foi composta na
Imprensa da Fé.
São Paulo, Brasil.
Primavera de 2019.